JN011952

科学的思考のススメ

「もしかして」からはじめよう

牧野悌也・菅原 研・土原和子・村上弘志
著

ミネルヴァ書房

はじめに

突然ですが，「科学的」とはなんでしょう？　「科学的」から始まるタイトルを目にしたみなさんは，どのような本だと思って手に取りましたか？

単に「科学」というと，イメージするのはロボットやコンピュータ，薬品の調合などでしょうか。勉強でいうと，小学校や中学校での“理科”あるいは高校での“理系”の科目に近いものだと思うかもしれません。でも，人文科学とか社会科学という言葉もあるように，「科学」というのは本来は文系理系の区別には関係ないものです。

では，この本来の「科学」とはどのようなものでしょうか。「科学」が必要になるのは，世の中のできごとの裏にある，目には見えないしくみを知ろうとする時です。かつて，りんごが木から落ちることは誰でも知っていても，なぜ落ちるのか，そのしくみを知るのは難しいことでした。このような問題に取り組むときに効率よく答えを見つけるために「科学的」な方法が確立されてきました。この方法は様々な場合に応用できます。株価の変動や人の行動など世の中には答えのはっきりしない（完全にはしくみが理解できているとは言えない）問題が多くあるため，文系理系問わず便利なものとして使われるようになったのです。未知の世界に踏み込むときの道しるべとなるようなもの，それが「科学的」な考え方，つまり「科学的思考」と言えるでしょう。

こういった考え方が生かされるのは，学問の分野だけではありません。世の中の出来事でも，目に見える部分はほんの一部で，大部分は目に見えないところで動いています。日常的にも，人は無意識にさまざまなことを想像し，次の行動に結びつけています。ですから「科学的思考」は科学者や研究者に限らず，誰にでも必要となる能力と言えます。

現代では，真偽のはっきりしないものも含めて多くの情報が出回っています。根拠のない発言やつじつまのあわない説明が繰り返され，それを信じる人と信じない人で争いがおきます。また一方では，AI などの情報技術の発展によりコンピュータで対応できる領域が拡大しているといわれています。こうした状況の中で，自分で考え，自分で判断することの重要性がより一層高まっています。このためには，既知の問題の答えを知っていることよりも，未知の問題を発見し，解くための考え方を身につけていることが必要です。これがまさに「科学的思考」そのものです。

なんとなく「科学的思考」のイメージがつかめてきたでしょうか。この思考方法を多くの人に身につけてもらうため，文系・理系の大学生を主な読者に想定しつつも，それに加えて社会人のみなさん，そして高校生，中学生の方々にも読みやすいように心がけて一冊の本にまとめました。具体的には，この本を読むと次のようなことを学べます。

「気づき」と「もしかして」が科学的のきっかけ

日常のふとした「気づき」から生まれる「もしかして」が科学的思考の始まりです。

科学に「絶対」はない

科学的思考では，自分の考えも，世の中の常識と呼ばれるようなものも，常に間違っているかもしれないと考えることが重要です。“想定外”は必ずあると想定することです。

直感に頼ると間違える

思い込みや，人間本来の性質から，文章や数字，グラフなどをみて間違った認識をするのは避けがたいことですが，できるだけ意識して見ることで間違いを減らすことができます。

「科学的思考」はよりよい選択につながる

科学的に考えることで，人生における重大な選択に対しても根拠のある決断が可能となり，よりよい選択につながります。

結局「科学的」とはなんなのか，その答えは一言で表すには足りません。簡単に言うと「なんとなくを避け，筋道を立てて考え判断しようとすること」と説明されますが，ではそうするためにはどのようにすればよいのでしょうか。このあとの序章から始まるこの本の全ては「科学的な考え方」を知ってもらうために書かれています。読み終わったときには，「科学的思考」とはどのようなものか，その答えが得られることでしょう。

では，早速「科学的」を求めてページをめくっていきましょう！

目　次

はじめに

序　章　“科学的”はなんのため？ ………………………………… 1

序－1　あなたならどう答えますか？　3
序－2　“なんとなく”理解していると……　5
序－3　“科学的”ってなんだろう？　9
序－4　“科学的思考”を学ぼう　12

第Ⅰ部　まなぶ

第１章　科学的思考と仮説 ………………………………………… 17

1－1　日常の中にも仮説あり　19
1－2　“観察”して仮説を立てよう　21
1－3　仮説を“検証”しよう　25
1－4　“仮説で考える”とは？　29
コラム　地動説と殺人疑惑　33

第２章　推論でつなげる ………………………………………………… 35

2－1　推論ってなんだろう？　37
2－2　推論の２つのタイプ　38
2－3　日常生活の中の推論　44
2－4　“科学的”に推論を使ってみよう　48
コラム　アブダクション　51

第 3 章　仮説を確かめる ………………………………………… 53

3-1　なぜ確かめるのか？　55
3-2　つみあげる証拠，一撃必殺の反証　57
3-3　その確かめ方で大丈夫？　62
3-4　“もっともらしい”ということ　69
コラム　カフェ&バー Four Cards にて　68／白いカラス？　71

第Ⅰ部まとめ　「消えた鳩サブレ」を探せ！ ………………………… 72

第Ⅱ部　みがく

第 4 章　言葉のセンスを身につける ………………………………… 77

4-1　言葉による表現が大切　79
4-2　言葉が指す“もの”　80
4-3　つながりに注意しよう　86
4-4　上手に活用するための注意点　92
コラム　りんごはどうして落ちたのか？　95

第 5 章　数字のセンスを身につける ………………………………… 97

5-1　数字で比較する習慣をつける　99
5-2　比較のための道具“4 分表”　102
5-3　比率や割合に要注意　107
5-4　比べるセンスを大切にしよう　112
コラム　割引とポイント還元　115

第 6 章　グラフのセンスを身につける ……………………………… 117

6-1　テキスト VS イメージ　119

6-2　グラフを作ってみよう　122
6-3　グラフを読む／見抜く　127
6-4　グラフを使ってみよう　132
コラム「うどんは好き？」アンケート　135

第7章　関係性のセンスを身につける …………………… 137
7-1　相関ってなんだろう？　139
7-2　因果ってなんだろう？　144
7-3　相関は取り扱い注意！　146
7-4　相関と因果を活用しよう　153
コラム“勝つ”と“カツ”？　155

第Ⅱ部まとめ　ぐんぐん頭がよくなる科学的思考パズル …………… 156

第Ⅲ部　つかう

第8章　仮説で決める …………………………………… 161
8-1　無人島に流れ着いたらどうする？　163
8-2　意思決定における2つの仮説　164
8-3　仮説の選択が未来を決める　170
8-4　たくさん立てて，絞り込もう　174

第9章　仮説を広げる …………………………………… 179
9-1　“気づく”ってなに？　181
9-2　仮説を生み出す現場　182
9-3　“問い”で縦に横にひろげよう　189
9-4　仮説をひろげた先に　195

第10章　仮説をしぼる　…………………………………………… 199
10－1　“意思決定”ってなんだろう？　201
10－2　選択肢をふるいにかける　202
10－3　選択肢を比較する　207
10－4　“科学的”に決断するとは？　212

第Ⅲ部まとめ　A君，アルバイトに何を求める？　…………………… 216

終　章　“科学的思考”のココロ　………………………………… 219
終－1　仮説を立てて考えよう　221
終－2　自分の意見に根拠を持とう　222
終－3　いろんな見方をしよう　223
終－4　科学的思考を楽しもう！　224

参考文献　225
おわりに　229
索　　引

序　章

“科学的”はなんのため？

序－1　あなたならどう答えますか？
序－2　“なんとなく”理解していると……
序－3　“科学的”ってなんだろう？
序－4　“科学的思考”を学ぼう

かんちがい

朝食をとると
やせます！
へー
朝食を
しっかり食べっと
やせるんだなやー

朝
モグモグ
昼
ムグムグ
夜
バグバグ

あれっ？
太ってしまったやー
ガーン
朝昼夜しっかり
食べ続けた

科学的思考って
何だべ？
？
この本読んで
勉強すっぺ！
「科学的
思考」で

序－1　あなたならどう答えますか？

どんなふうに見えますか？

まずは図序－1を見てください。

図序－1　2つの小さな正方形を比較する

よく見ましたか。では，質問です。「中の小さい正方形を見て下さい。左右どちらが明るいですか？」。ほとんどの人が「左の方が明るい」と答えると思います。

次に図序－2を見てください。質問は同じです。「左右どちらの正方形が明るいですか？」。こちらはほとんどの人が「左右同じ，差はない」と答えるでしょう。

図序－2　小さな正方形だけを取り出すと……

図序－1と図序－2に対する回答はまったく異なりますが，実はこれら2つの図の4つの小さな正方形はすべてまったく同じものです。「まったく同じ」というのは，この正方形の領域は全て同じ色設定で印刷され，客観的にはまっ

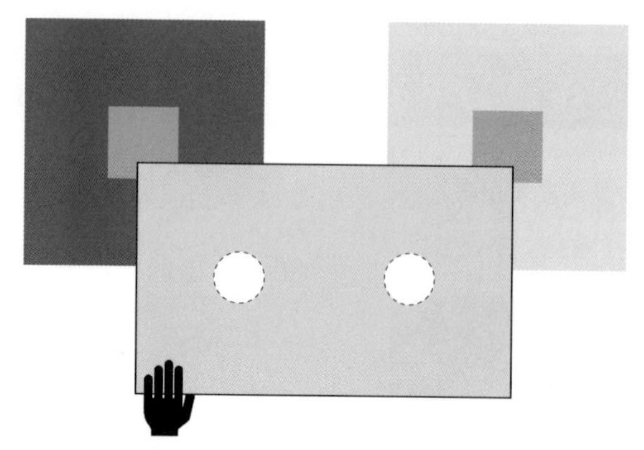

図序－3　紙に穴をあけて確かめてみよう

たく同じグレーだ，ということです。信じられますか。

「絶対嘘だっ！」と思う人は，図序－3のように図より少し大きめの紙を図序－1にあて，両方の小さな正方形だけが見えるように紙にふたつ穴をあけて確認してみてください。まったく同じグレーで印刷されていることがわかると思います。

図序－1は，いわゆる錯視図形と呼ばれるものです。この場合は，同じ明るさで印刷された正方形が異なって見えてしまう，「明るさの錯視」です。私たちは，この小さな正方形が同じ明るさで作られていることを頭で理解し知識として知っていても，図序－1のように提示されると，同じものとしては知覚できません。

TV番組の司会者が明るさの錯視図形を紹介しながら，「こんなこともちゃんと判断できないなんて，私たちの眼ってたいしたことないですねぇ……」と言っています。この司会者のコメントは，誤解とも間違いとも言うことができるのですが，あなたはその誤りを指摘できますか。それともあなたもこの司会者と同じように思うでしょうか。

説明はもっともらしいんだけど……

今度は図序－4を見てください。国語と数学のテスト平均点を，毎日朝食を

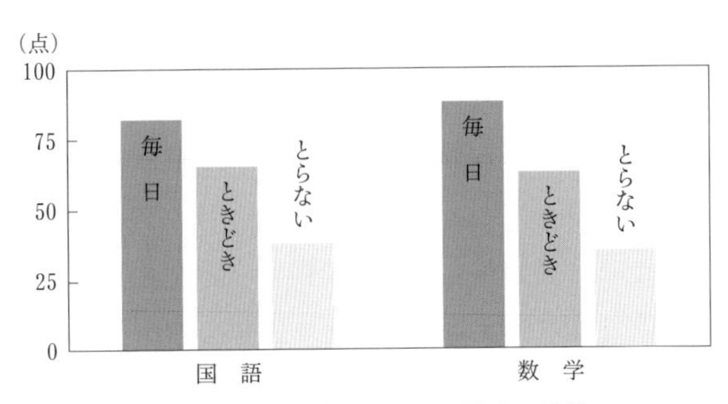

図序－4　朝食習慣とテスト平均点の関係

とる人たち，ときどき朝食をとる人たち，朝食をとらない人たちのグループに分けて示しています。グループに含まれる人たちはそれぞれ100名だったとしましょう（あくまで仮のデータです）。図から読み取れることは「国語でも数学でも，朝食をしっかりとっている人ほど成績が良い」ということで，これは間違いありませんね。

さて，このグラフを見た友達が「わたしたちも毎朝ご飯をちゃんと食べて成績をアップさせよう！」と言いました。あなたはこの友人になんと答えますか。「そうだね！」でしょうか，それとも「え？ちょっと待って……」でしょうか。

あなたは常識として「ちゃんと勉強しないと成績は上がらない」ことを知っています。でも，この友人の発言は「朝ご飯を食べただけで成績が上がる」ことを主張しています。あなたは自分の常識や直感が間違っていると考えたほうがよいのでしょうか？

序－2　“なんとなく”理解していると……

なぜ同じものが違って見えるのか

同じ正方形が異なって見えてしまう図序－1の謎解きをしましょう。ちゃんと同じに見える図序－2との違いは小さな正方形の背景です。

わたしたちの眼には，明るさの違う領域が隣接していると，その違いをより際立たせるように増幅して感じとるしくみが備わっています。このため，同じグレーであっても背景が暗い場合はより明るく，背景が明るい場合はより暗く感じます。この効果は，網膜に組み込まれたしくみによるもののため，わたしたちが知識として「2つの正方形が同じである」ことを理解していても，どうしても異なるグレーに見えてしまうわけです。

このタイプの「明るさの錯視」は，眼を持つほとんどの動物たちが体験していると考えられています。例えば，およそ2億年も前からその姿を変えていない「生きた化石」と言われるカブトガニの複眼にもこのしくみが備わっており，カブトガニは2億年の間ずっと，「明るさの錯視」を体験してきていると考えられます。もちろん，カブトガニにどちらが明るいか聞いても，「こっち！」と答えてくれるわけではありません。明るさの異なる領域が隣接していれば，カブトガニは私たちと同じようにこの違いを増幅して，「あ，何かあるぞ」と感じ取っているだろう，ということです。

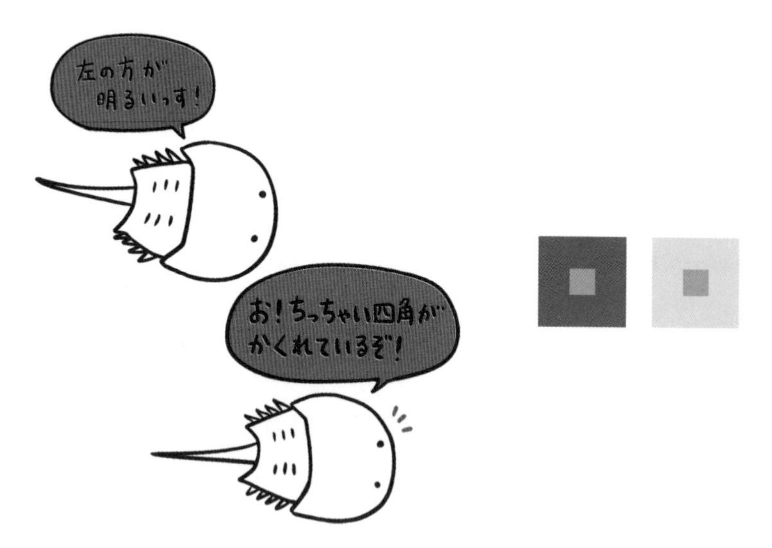

身体に組み込まれた知恵

私たちヒトは「動物」として進化してきました。動物とは外界を感知し，判断し，行動することを特徴としています。動物の身体は自然環境下で，生存にとって少しでも有利になるように，この感覚から行動までの一連のプロセスを効率よく実行できるように進化してきました。「明るさの錯視」は，このような進化の中で，ヒトの身体に備わった「知恵」の例です。

もちろん，動物は図序－1から正方形だけを取り出すなんてことはしませんし，それぞれの明るさが本当は同じなのか違うのか，なんてことも気にしません。ところが，わたしたちヒトは正方形だけを取り出すことができ，これが同じものであることも理解できてしまいます。ですから，「明るさの錯視」がなぜ起こるのか，その本来の機能をきちんと理解せず，なんとなく図序－1と図序－2を見ると「同じものが違って見えてしまう」ことばかりが強調され，なんだかだまされた気分になったり，私たちの眼はたいしたことないなぁ，と考えたりしてしまうわけです。

根拠や理由を理解することで

「明るさの錯視」が起こる根拠や理由をしっかり理解していれば，「私たちの眼はたいしたことない」などという感想は出てきません。逆に，私たちの身体は，私たちが全然知らないところでなんてすごいことをしているのだろうと，生物の進化に感動するかもしれません。「なんとなく」の理解だと，うっかり同意してしまいそうなTV司会者のコメントに対しても，錯視の根拠や理由を示し「それは間違っていますよ」とはっきり指摘することができます。

図序－4の朝食とテスト成績の解釈についても同じです。図やデータの読み方を「なんとなく」しか理解していないと，自分の常識や直感とはかけ離れた友人の言葉に「なんとなく」流されてしまうことになってしまいます。

だましのテクニックをひとつ

友達同士の軽い会話なんだから，グラフの解釈ひとつに目くじらを立てなくても，と思う人がいるかもしれません。ここでそんな人にだましのテクニックをひとつ紹介しましょう。図序－5を見てください。ある架空の企業の売り上げを示したグラフです。あなたはこのグラフから，この企業にどのようなイメージを持つでしょう。

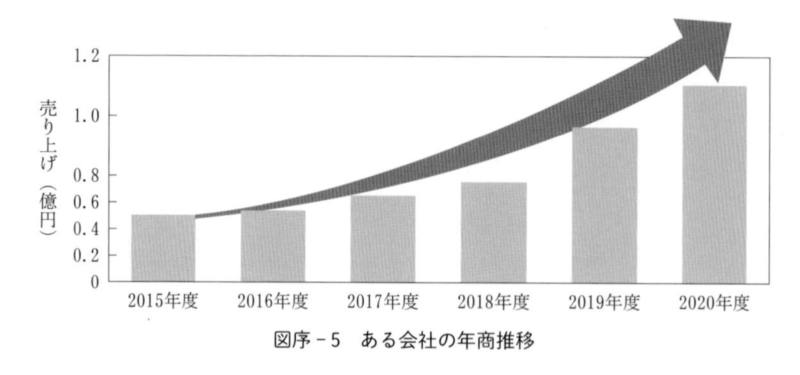

図序－5　ある会社の年商推移

「なんとなく」このグラフを眺めてみましょうか。横軸は年度，縦軸は売り上げですから，棒グラフの高さがそのままそれぞれの年の売り上げを表しています。「なるほど，2019年度，2020年度とずいぶん業績を伸ばしているな，優良企業かも」と思ったとしたら，あなたは術中にはまっています。図序－5をよーく見直してください。ここでどんなワザを使っているかあなたは指摘できますか？

図序－5のダメなところはわかったけど，さすがにこんなひどいグラフは作らないでしょ，と思っているあなた，それは甘いです。このグラフ，実はある団体のウェブサイトに実際に掲載されていた図を少し変えただけのモノです。さらにじつは，図序－4と友人の主張も，かつてある公的機関のウェブサイトで紹介されていた図と主張に基づいて作ったモノです。世の中には，インチキと思われかねない主張やグラフがあふれています。

「なんとなく」の結果は……

なんとなく理解したり判断したりしていると，簡単に誤解したり，流されたり，だまされたり，あるいは人に誤った情報を伝えたりしてしまいます。今のわたしたちは，ずいぶん高度な生活をしていて，賢くて，めったにだまされることは無いと思うかもしれませんが，そんなことはありません。昔はいい加減な判断が多かっただろうけど，科学が進んだ現在はそんなことないでしょ，と思うかもしれません。でも，それも違います。今，さまざまな科学の成果が私たちを取り囲んでいるとしても，それとあなたが物事をどう判断するかとは，ほとんど関係がありません。生き物としての人間は，昔も今もほとんど変わりはないので，なんとなくの判断では間違えたり，だまされたりしてしまうのです。間違えたり，だまされたりしたくないなら，「なんとなく」の判断を避けるしかありません。「なんとなく」を避けるための方法として生み出され，整備されてきたのが**科学的思考**です。

序－3　“科学的”ってなんだろう？

「なんとなく」を避けるために

「科学的」というのはいろいろな説明の仕方があると思いますが，本書では日常的に使われる言葉を用いて次のように定義しましょう。

科学的 =「なんとなく」を避け，筋道を立てて考え判断しようとすること

人の意見や主張を「なんとなく」判断していると，流されたり，だまされたりしてしまいます。「なんとなく」というのは根拠や理由がハッキリしない，あいまいな状態です。ですから，「なんとなく」を避けるには，根拠や理由をハッキリさせ，あいまいさをなくしてしまえばよいことになります。もちろん，ここで根拠や理由が「私がそう思うから！」というような，ひとりよがりなモノではいけません。誰もがわかり共有できる事実や，誰もが理解できる論理に基づいた根拠や理由である必要があります。「科学的」を少し硬く言えば，「意見や主張の正しさを，事実や論理というだれもが共有できる根拠や理由に基づいて判断しようとすること」になります。簡単に言えば，**意見や主張は，根拠や理由といっしょに！**となるでしょうか。

「科学的」であることによって，他の人の意見や主張に安易に流されたり，簡単にだまされたりしなくなります。また，「科学的」であることによって，あなたは自分の意見や主張を，説得力をもって人に伝えることができるようになるでしょう。多くの人が「科学的」姿勢や態度を身につければ，根拠や理由がハッキリしない意見や主張に社会が流されることもなくなるはずです。

「科学的」と「科学」，似て非なるもの

あなたは「科学」という言葉にどのようなイメージを持っているでしょうか。試験管，顕微鏡，数式，DNA，白衣を着た人，髪を振り乱した研究者……という感じでしょうか。

狭い意味では物理，化学，などの「自然科学」，広い意味では「体系的であり，経験的に実証可能な知識」として使われる「科学」という言葉には，専門用語たっぷり，素人が口を出せない，硬い，とっつきにくい，というちょっと遠慮したくなるようなイメージがまだまだ付きまとっているように思われます。これらのイメージに引っ張られて，「科学的」という言葉も，硬く考えたり，敬遠したりしてしまいがちです。

「科学的」が必要とされている

「文系だから」，「理系だから」，という言葉をいまだによく耳にしますが，「科学的」であるかどうかは文理の区別にまったく関係ありません。「科学的」であることは，事実や論理に基づき意見や主張を戦わせ議論するために必要で，大学で何を専攻するかにかかわらず，必ず身につけておくべきです。

また，社会に出ると，人とコミュニケーションをとりながら目標を設定し，その達成に努めることがたくさんあります（それしかないといっても過言ではありません）。それぞれの人が好き勝手なことを「なんとなく」主張していたら，目標の設定もその達成の方法もあやふやで，何も前に進みません。社会では切実に「科学的」であることが求められます。

日々新しいことが起こり，情報があっという間に広まり，あらゆる物事が私たちの生活にじかに関わってくる現在こそ「科学的」であることが求められています。未知の出来事が起こると，さまざまな意見や主張が飛び交います。なんとなく判断していると，とんでもないことに巻き込まれたり，自分自身がとんでもないことを主張してしまったりしかねません。私たちは元来間違えやす

く，だまされやすいんだ，と考えましょう。そうすれば相手の意見や主張だけではなく自分の意見や主張ももしかしたら間違っているのかも，と一歩引いた眼で「科学的」にとらえることができ，冷静な対処が可能となるはずです。

「仮説」という考え方

第１章で詳しく説明しますが，**科学的思考**とは簡単にいえば「仮説を中心とした思考法」です。「仮説」という言葉は次のように定義されます。

仮説 ＝ 仮の説明

とてもわかりやすいですね。でも，この「仮説」という言葉に，ここまで説明してきた「科学的」の意味がすべて込められています。

科学的思考では，世の中の「○○は△△である」という意見や主張を，「○○は△△だろう」という「仮の説明，仮説」と捉えます。それまでどれほど強く信じられ間違いないと言われてきたことも，科学的思考では「仮の説明」として一度保留します。そのうえで，「仮の説明」の確からしさ，もっともらしさを主張したければ，誰もが共有できる根拠をつけ筋道を立てて示そう，言葉を尽くして説明しようとします。これが「科学的」という態度です。

練りに練って，どれほど確からしい「仮説」を作り上げたとしても，それもあくまで仮説です。少し視点や枠組みを変えればまったく違う発想が生まれ，もっと良い「仮説」あるいはまったく異なる「仮説」を生み出すことができるかもしれません。

ですから，「仮説」という考え方は間違いを恐れません。間違いに気づいたら，それを認め「仮説」を修正すればよいだけです。また「仮説」という考え方は，他の人からの意見や批判も恐れません。自分とは異なる視点からのさまざまな反応は，自分だけでは分からなかった「仮説」の新たな面に気づかせてくれるかもしれませんし，必要であればさらなる根拠を示せばよいのです。もし根本的な見直しが必要であればそれを実行するのみです。

自分自身を多角的に眺め，自分の枠を広げることをも意味する「仮説」という言葉は，「科学的」であろうとする，大げさに言えば，「思想」を表現しています。

序－4 “科学的思考”を学ぼう

科学的思考は，仮説を中心とした思考法です。自分が発する意見や主張を仮説と捉え，その確からしさ，もっともらしさを，根拠を添えて，論理を尽くして説明することを実践するための思考法です。簡単なマニュアルがあるわけではありませんが，その基本的な方法と重要なポイントをしっかり学び，そのうえで，自分の頭で考えながら実践を積めば必ず身につくものです。これに沿って本書は次のような構成としました。

第Ⅰ部　まなぶでは，科学的思考のエッセンス，自分の意見や主張としてもっともらしい「仮説」を立てる基本的技術を学びます。まずは，科学的思考が仮説を中心とした思考プロセスであることを理解し（第1章），次に，科学的思考を回すためのエンジンである「推論」を身につけ（第2章），さらに，科学的思考の中で特に重要となる「仮説を確かめる」プロセスを深堀りします（第3章）。

第Ⅱ部　みがくでは，科学的思考を実践するうえで知っておいた方が良いコツを解説します。コツは，言葉に関わること（第4章），数字に関わること（第5章），グラフに関わること（第6章），因果と相関という関係性に関わること（第7章）という4つのテーマに分かれています。これらのコツを理解することで，第Ⅰ部で学んだ科学的思考に磨きをかけます。

第Ⅲ部　つかうでは，科学的思考を，私たちの生活において実践的に使うことに焦点を当てます。科学的思考は，単に間違わないため，だまされないための技術ではありません。仮説を中心とした科学的思考は，社会での様々な意思決定（個人的なものから社会的なものまで）で大いに力を発揮する実用的な思考法です。まず，意思決定においても「仮説」が必要となること，意思決定とは「たくさんの仮説を立て，その中から1つを選び取ること」を理解し（第8章），より良い意思決定をするために，たくさんの仮説を立てる方法を学び（第9章），さらに，たくさん立てた仮説を評価し，より良い仮説を選択することで，より良い意思決定をする方法を学びます（第10章）。

終章では，第Ⅰ部から第Ⅲ部までをまとめ，本書のメッセージをお伝えします。

本章を含めた各章の扉には，宮城県を拠点に活動するご当地キャラクターである「仙台弁こけし」ちゃんのマンガを，それぞれの章のイントロダクションとして組み入れました。また，各部の最後には物語仕立てのまとめを入れました。本文と合わせて，楽しみながら科学的思考を学んでいただければと思います。

第１部

まなぶ

「なんだろう？」と気になったとき，「もしかしてこうかな」と思うことはありませんか？　この「もしかして」が「仮説」のはじまりです。みなさんが自然におこなっているこの「気づき」を大事にすると，答えを知らない問題に対しても手順を踏んで調べることができ，未知の領域に光がさします。第１部でこの「科学的」の中核となる「仮説」を用いた考え方を学ぶと，「科学的思考」の基礎ができあがるはずです。

第1章

科学的思考と仮説

1－1　日常の中にも仮説あり
1－2　“観察”して仮説を立てよう
1－3　仮説を“検証”しよう
1－4　“仮説で考える”とは？
コラム　地動説と殺人疑惑

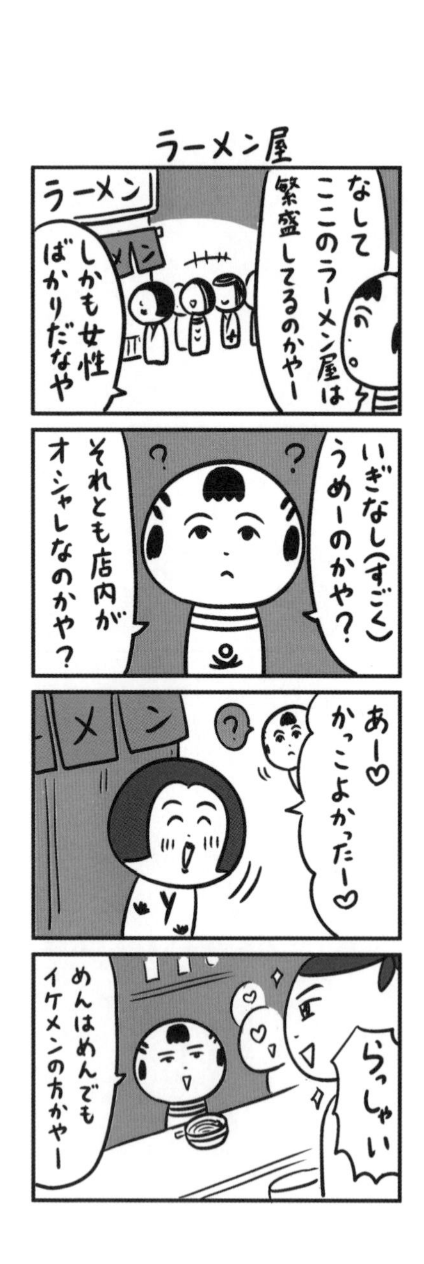
ラーメン屋
ラーメン
なして ここのラーメン屋は 繁盛してるのかやー
しかも女性 ばかりだなや
いぎなし(すごく) うめーのかや?
それとも店内が オシャレなのかや?
?
メン
あー♡ かっこよかったー♡
?
らっしゃい
めんはめんでも イケメンの方かやー

1－1　日常の中にも仮説あり

「科学的」にとって重要なもの

序章では，「なんとなく」を避けて間違いを減らすために「科学的」が必要である，と説明しました。そして，そこで重要な役割を果たすものとして「仮説」という言葉がでてきました。文字通り「仮の説明」という意味のものでしたが，これはどのようなものなのでしょうか。そして，どのように用いることで「科学的」に考えることができるのでしょうか。まず第１章ではこの「仮説」に注目していきましょう。

あなたも使っている仮説

あらためて「仮説」と呼ぶと難しく感じるかもしれませんが，実は皆さんも普段から意識せずに利用しています。例として，ある朝登校途中に友人に出会い挨拶する場面を考えてみましょう。自分に気づいた相手が「おはよう」と言い，自分も「おはよう」と返します。日常的におこなっていることですが，この時，相手の様子をみて何か考えていることはないでしょうか。

例えば「おはよう」の声にいつものような元気がなければどうでしょう。心配になり「昨日何かあった？」などと聞いてみますね。あるいは逆に，嬉しそうな「おはよう」だったら，楽しみなことがあるのかな，昨日よいことがあったのかな，などと考えるでしょうか。いつも通りの挨拶の場合は特に気にすることもないかもしれませんが，それでも「普段と変わらない」という判断をしている，と言えます。このように，日常の些細なやりとりでも，口調や態度を普段と比較してその日の友人の様子を推測しているのです。

「もしかして？」と思ったら仮説かも

人は普段から意識せずとも物事の裏側にあるものについて考えて行動しています。昼なのに外が急に暗くなってきたら「もしかして雨が降るかも」と考えて傘を持って出かける，道に光っている丸い物が落ちていたら「もしかしてお金かも」と考えて確認してみる（実際にお金だったら警察に届けましょう）など，例をあげればきりがありません。何か行動を起こすたびに，見えているものだけではなくその裏にあるものを考えていると言ってもよいでしょう。

この**裏にあるものを推理し，予測する**ことが，**仮説を立てる**という行為です。表に現れる「現象」は観察することができますが，その原因や前提となるもの，あるいは因果関係などを観察することは簡単にはできません。そこで「もしかして○○では？」と考える作業が重要になります。これは推測であり，事実かどうかわからないため，「仮に説明する」＝「仮説を立てる」ということです。

仮説は科学から生まれた

もともと，「仮説」という考え方は自然科学の世界で生まれました。物理や化学，生物など自然科学においては，実験・観察で発見された現象の原因を探るために，まず仮説を考えます。最初の段階では「仮」であったものが，実験を繰り返し理論を確立していくことで真実に近づいていきます。ひとまず仮にでも説明しておくことで，その説明が正しいかどうか，あるいは他の現象にも当てはまるかどうか，確かめるための実験をすることが可能となります。これが科学における仮説の利用です。

仮説について知っておこう

仮説は仮のものなので，次の２つの特徴があります。

特徴①１つの現象に対して複数の仮説を立てることができる

挨拶の例では，同じ現象でも場面（相手）や立場の違いによって説明が変わります。明るく「おはよう」と言ったのがいつも明るいＡ君か，普段はおとなしいＢさんか，で印象も変わるでしょう。また，相手が友人なのか顔見知り程度なのか，などでも推理や予測は変わってくるのが当然です。さらに，同じ挨拶の場面でも，横でみている人が当人同士とは違った印象をもつこともある，など１つの現象に対してさまざまな説明がありえます。数学のように定義がはっきりしている場合は，仮説が１つしかないと思うかもしれませんが，次節でみるように数字を用いた単純な問題でも仮説は何通りも考えられます。

特徴②仮説は正しいとは限らない

あくまで「仮」の説明なので正しいとは限りません。目に見える観察に対して裏にあるものを推測するのがそもそも仮説なのですから，その時点では正解かどうか知りようがないのです。仮説が複数ある場合は，すべてが正解ということはありませんし，仮説がすべて間違いであった，ということもありえます。

このような性質を見ると，仮説というのはあやふやなものではないか，という印象をもつかもしれません。しかし実際には，仮説を立てることで初めて予測が可能となるため，真実に迫るための方法としては大変効率がよいものです。では，具体的にどのように仮説を活用するのか，その方法をみていきましょう。

1－2 “観察”して仮説を立てよう

仮説を使うのはどんな時？

仮説とはどのようなものか，そして仮説をどのように活用するのか，それを知る第一歩として簡単な問題で仮説を立ててみましょう。ここで，次のような問題を考えます。

> 1，2，3と数字が並んでいます。次にくる数字はなんでしょう？
> ①4　②5　③6　④7

いかがでしょうか。簡単に思えるかもしれませんが，本当にそうでしょうか？　いったん本を置いて，少し考えてみてください。答えを選んだあとは，なぜその答えを選んだかその理由も考えてみましょう。筋道を立てて他の人にきちんと説明できるようになるための訓練です。

多くの人は，「①4」と答えるのではないかと思います。ではその理由はなんでしょう。ここで**観察**したのは1，2，3という数字の並びです。次に来る数字を選ぶ場合には，この数字の裏にあるものを考えたはずです。これが選んだ理由となりますが，どのように説明できるでしょうか。1，2，3，だから次は当然4だ……これでは何の説明にもなっていません（しかし，このレベルで説明したつもりになっている場合もあるので気をつけましょう）。

予測の裏には仮説あり

1，2，3という数字を見た時まず自然に思うのは「数字が1から順番に並んでいる」ということでしょう。あるいは，ちょっと難しい言葉を使えば「自然数が小さい順に並んでいる」でしょうか。表現としてはいろいろありますが，ここではできるだけ簡潔にかつ厳密に表現してみましょう。「1から始まり前の数に1を加えたものを次の数とする」。これで1，2，3という数列を説明できます。

この説明が，まさにこの**観察**に対する**仮説**となります。「観察」により数字があるパターンで並んでいる，ということに気づき，それを厳密に表現することで「仮説」となりました。観察と仮説を区別できたでしょうか。

数字の並びに仮の説明を与えたことで，次の数字を考えることができます。仮説によると3に1を加えたものが次の数となりますから，この仮説に基づくと答えは「①4」というわけですね。観察の裏にあるものを仮に説明したことではじめて次の数字が予測できました。

この仮説は，観察した数の並びを説明することができますが，それ以外の仮説も考えられるでしょうか。例えば，1，2，3という数字をじっと眺めていると1＋2＝3という式が思い浮かびます。これは「1，2から始まり前の2つの数字を加えたものを次の数とする」という仮説と考えることができますね。すると次に来る数字は2＋3＝5というわけで，答えは「②5」と予測されます。

同じ1＋2＝3からこの仮説を少し変更して，「1，2から始まり前にある数字を全て加えたものを次の数とする」という仮説はどうでしょうか。この場合は，1＋2＋3＝6と「③6」を選ぶことになります。1と2という2つの数字から次の3になるものは他にも多様な式が考えられるため，仮説は無数に存在すると言えるでしょう。「1，2から始まり前の２つの数字をかけて１を加えたものを次の数とする」というちょっとややこしい仮説では，１×２＋１＝３で観察した３が説明でき，２×３＋１＝７から「④７」を予測します。ここまで，４つの仮説を紹介しました。それぞれが別々の選択肢を予測しましたが，実は，どれもが正しい答えとなりうるのです。

このように，単純に見え，答えがすぐ決まりそうな問題でも，じつに様々な仮説が考えられることがわかります。もう一度強調したいのは，答えを考える，すなわち次の数字を予測する，という行為の裏には**仮説が存在**するということです。仮説を立てることにより予測が可能となっているのです。

仮説のたねは気づきから

これで仮説についてまた少し理解が深まったことと思います。では，どのようにして仮説を立てたか振り返ってみましょう。

どの仮説の場合も1，2，3という数字を観察し，そこに関係性を見出しています。１ずつ増えている，前の２つを加えた数が次の数になっている，などです。この関係性を見つけること，つまり**気づき**が仮説を立てる原動力となっています。観察の後に何かに気づく，これが仮説の根本と言えるでしょう（図１-１）。ただし，注意しなくてはいけないのは，その仮説の説明は誰にでも理解・納得できるものでなくてはならない，ということです。これが「科学的思

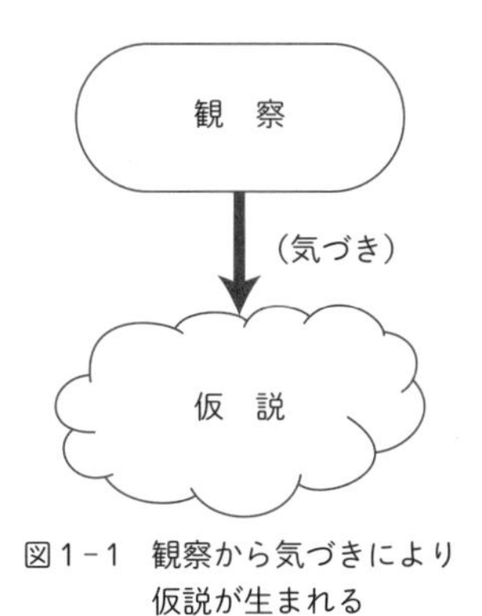

図１－１　観察から気づきにより
仮説が生まれる

考」を成り立たせる重要な条件です。

前に「当然」では説明にならないと書いたのは，当然と思うのは自分だけかもしれないためです。同様に，「常識だろう」という表現も説明とはなりませんが，使いがちなので注意が必要です。このような時は自分でも「気づき」をきちんと説明できていない場合が多いです。

この「気づき」から仮説を立てるということをもっと深く理解するため，簡単な問題を一旦離れ，実際の学問における仮説の例を2つみてみましょう。

1つめは大陸移動説です。ヴェーゲナーは，過去に1つの大きな大陸だったものが移動して現在の六大陸となった，という大陸移動説を唱えました。その説を思いついたきっかけは，世界地図を見たときに大西洋を挟むアフリカ大陸と南アメリカ大陸の海岸線が一致していることに気づいた，ということでした。

2つめは天動説です。夜，星空を見ていると星々はゆっくりと東から西へ移動していくことがわかります。また，太陽や月，惑星なども星々とは違うものの同様の動きをします。これらの観察結果から，昔の人々は地球の周りに天球という存在を考え（気づき），星々はその天球とともに回転している，という天動説を信じていました。

これら2つの例のように，大きな発見も最初は観察したものに対する「気づき」から始まることがわかります。些細な気づきから仮説が生まれ，その仮説が受け入れられると知識となります。ただし，すでにご存知かと思いますが，紹介した2つの仮説は，その後異なる道をたどることになります。

最初はみんな仮説だった

大陸移動説や天動説に限らず，どんな学説でも仮説から始まります。仮説の特徴は「正しいとは限らない」ということでした。したがって，どんなに多くの人から受け入れられていても，まだ他に仮説が考えられる限りは間違っている可能性もある，ということになります。間違っている可能性を常に念頭に置き，すべてのことを疑ってかかる，という姿勢がまずは重要です。

その上で，ある1つのできごとに触れた（観察した）とき，どれだけ多くの仮説を考えられるかが重要です。数字の問題の例でもたくさんの仮説を考えました。次の数字が判明するまでは，どの仮説が間違っているのかわかりません。時にはこじつけと思えるような説明でも，実はそれが真実であった，ということもありうるのです。どんなに明確な理屈だと思ってもそれが当然だと思わず，他の仮説がないか常に意識することが大切です。

ここまでで，仮説による思考はだれでも日常的に行っていることがわかりました。まずなにかの物事を「観察」します。そしてその観察だけでは見えない部分を推測し，「仮に説明」する仮説を考えます。仮説は多い方がよいですが，多すぎても困るので，その中から「もっともらしい説明」に絞り込んでいくこととなります。

したがって，次に必要となるのは多くの仮説の中からもっともらしいものを選んでいく，という作業です。これは**検証**とよばれるプロセスです。次の節で具体的にみていきましょう。

1-3　仮説を“検証”しよう

仮説を立てたら確かめよう

仮説は観察による気づきから生じるものでしたが，人により，あるいは状況により同じものを見ても感じることが違うように，仮説も1つとは限りません。そこで，仮説を立てたあとには仮説を取捨選択する作業が重要となります。この作業を仮説の**検証**と呼びます。この節では，検証とはどのようなものか，それにより仮説をどのように絞り込むことができるか，これらの点に注目します。

仮説には，もっともらしいものもあれば，一見ありえないと思われるものもあります。しかし，印象だけで仮説を選択することは科学的な態度とは言えません。実際，前節で紹介した大陸移動説のように，にわかには信じがたい説が後に受け入れられるということも多くあります。では，仮説はどのように絞り込むのがよいでしょうか。

予測をもとに絞り込む

仮説は，観察したものに対する説明なので，複数ある仮説もすでに観察したものについては説明できているはずです。したがって，そこまでの観察結果から仮説を選択することはできません。そこで仮説の絞り込みには**予測**を使います。仮説の重要な役割は，それに基づいて次におこることを予測できる，ということでした。観察して仮説を立てて予測し，さらに新たな観察を行ってその予測と一致しているかどうか確かめることで，仮説を検証することができます。21ページの数字の例で説明しましょう。

1，2，3の次に何がくるか，という問題では4つの異なる仮説により4，5，6，7という別々の予測がありました。したがって，1，2，3の次にどの数字が来るのか実際に確かめることができれば，4つの仮説のうち1つだけが生き残ることになります。例えば次の数を観察した結果「6」であった場合は4，5，7を予測した他の3つの仮説は間違っていたことが明らかです。

ただし，ここで注意が必要です。この時点でもともと「6」を予測していた「1，2から始まり前にある数字を全て加えたものを次の数とする」という仮説は，本当に正しかったと言えるのでしょうか。ここで別の仮説を考えましょう。「18の約数を小さい順に並べる」というものです。この仮説にしたがうと数字の並びはどうなるでしょう。約数とはある数を割って割り切れるもののことです。18の場合小さい順に並べると，「1，2，3，6，9，18」が約数です。前半4つの数字に注目しましょう。1，2，3，6という並びです。これはもともと観察されていた1，2，3の数字とさらにその後検証のため観察した6という数字とすべて一致しています。したがってこの新たな仮説も間違いではない，ということになります。

だからといって，逆にどちらも正しいことはありえません。6の次にくる数字を比較すると2つの仮説は違うものであることは明らかです。つまり，1，2，3の時点では次に6が来ると予測した仮説が1つしかなかったとしても，次に実際に6を観察したからと言ってその仮説が正しいとは言えない，ということになります。他にも，「一画で書く正の数字を小さい順に並べる」など，意外な仮説も見つかるかもしれません。検証では，仮説を間違っていることは証明できても，正しい，ということは一般的には言えません（ある限定された範囲では成り立つ，ということは言えます）。

仮説はどんどん捨てるもの

このように考えると，範囲を限定しない限りは仮説が正しいということは言えませんので，仮説の間違いを発見し，絞り込む方がやりやすいことになります。すなわち，**検証**には**仮説が間違っていることを証明する作業**，という一面があります。こう書くと仮説を否定するばかりの不毛な作業ではないかと思われるかもしれませんが，決してそうではありません。検証の結果，仮説が間違っていたことがわかった場合は，新たな仮説を立てることになります。この，新たな仮説を立てるという作業によって，真理に迫っていくことができるのです。科学者は現在広く受け入れられている理論では説明できない現象を発見することにより，理論に見直しを迫ります。

一方で，検証の結果，間違いではないとわかった場合に検証が無意味だったかと言えば，もちろんそんなことはありません。数々の検証にたえる（予測と一致した結果が増える）ことにより，仮説の信頼性が高まります。観察を続けた結果「1，2，3，6，12，24，48，……」となっていた場合，「1，2から始まり前にある数字を全て加えたものを次の数とする」の仮説はいつまでも否定されず生き残り，他に同様の数の並びを説明できる仮説はどんどん減っていきます。そして最終的には，多くの人が認める知識として確立したものとなります。検証という作業では，予測と一致した場合は仮説の信頼性を高めることができ，予測と一致しない場合はその仮説を捨てて

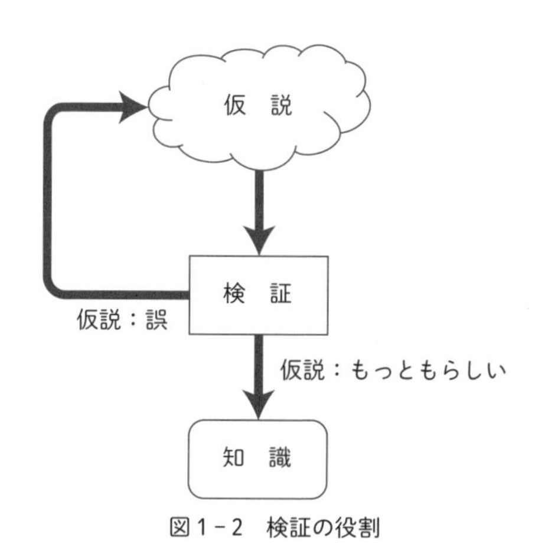

図１－２　検証の役割

新たな仮説を生み出すことにつながるのです（図1-2）。

なぜ天動説は捨てられ，大陸移動説は生き残ったか

実際に「仮説→検証」のプロセスが機能した例をみてみましょう。前節で紹介した大陸移動説と天動説は，対照的な好例となっています。

ヴェーゲナーは，大陸移動説の証拠として海岸線の一致の他に，現在は遠く離れている大陸で化石の分布が似ていることを挙げました。過去に1つの大陸であったことを示すものですが，当時はこれでもまだ受け入れられませんでした。大陸をつなぐ陸橋など，他の可能性も残っていたためです。しかしその後，海底の岩石ができたときの磁場の向きなど，大陸が移動していると考えられるさまざまな証拠が発見され，プレートテクトニクスとして科学的に実証されます。はじめは異端の仮説だった大陸移動説が，検証を繰り返すことでもっともらしさを増し，ついに知識として定着した例と言えます。

一方，天動説は目で見た星の動きをよく説明できる仮説です。地球に暮らす人々にとっては自分が動いているという実感はありませんから，地球を中心に太陽，惑星や星々が回転する天動説は自然な考え方でした。しかし，観測を重ねるうちに不自然な点がだんだん出てきます（本章末のコラム参照）。天動説は次第に検証にたえられなくなってきたのです。すると新たな仮説を考える必要が出てきますが，そこで太陽を中心に地球や惑星が運動すれば自然に説明できるだろうとしたのがコペルニクスです。その後ケプラーが惑星の動きに関する経験則を発見し，ニュートンの万有引力がそれを裏づけます。その後いろいろな発見により地動説（および万有引力）の信頼性が増していくこととなります。

どんどん置き換えられる仮説

予測と比較するためには新たな観察が必要です。しかし，実験・調査の結果はそのまま予測と比較できるとは限らず，**考察**が必要になります。地動説の例で言えば，ニュートンの万有引力の法則そのものは単なる引力を計算する式に過ぎませんが，この力にしたがって動く様子を調べることにより地動説の正し

さを支持する証拠が得られます。つまり，**検証**という作業は，**実験・調査＋考察**のプロセスを指す言葉であるわけです（図１－３）。

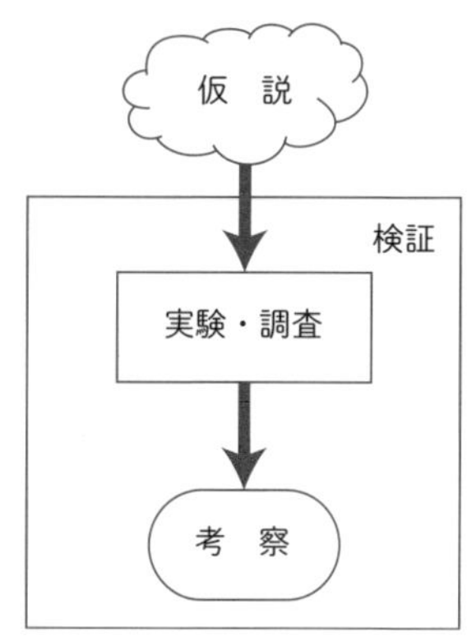

図１－３　検証の具体的作業は実験・調査＋考察

天動説から地動説への仮説の置き換えにはまだ続きがあります。ニュートンの万有引力は広く受け入れられることとなりますが，万有引力も仮説の１つであることには違いがありません。後に万有引力では説明できない現象が発見されます。水星の軌道が次第にずれていく様子が予測と合わなかったのです。これに対して，アインシュタインの一般相対性理論では観測と予測が一致しました。すなわち，万有引力も検証の結果否定され（当てはまらない状況があることがわかり），一般相対性理論がそれに代わる説となりました。

天動説から地動説，あるいは万有引力から一般相対性理論，というように，広く受け入れられた仮説であっても予測できない現象がいずれ発見されます。この新たな現象を説明するために新たな仮説を生み出し，それが検証にたえると人類の共通認識となり新たな知識として蓄えられます。くり返しになりますが，検証とは，仮説を補強するばかりではなく，新たな仮説を生み出すためにも重要な作業なのです。

１－４　“仮説で考える”とは？

仮説思考のループ

仮説を使った考え方を振り返りましょう。まず，観察によって得た気づきから仮説を立てます。この仮説は，仮の説明であるため間違っている可能性もありますが，複数の可能性について考えることができます。次に，検証です。実験・調査や考察によってこの仮説が間違っていないかを確かめ，複数ある場合は絞り込む作業が検証です。検証の結果，仮説が間違っていた場合は，戻って

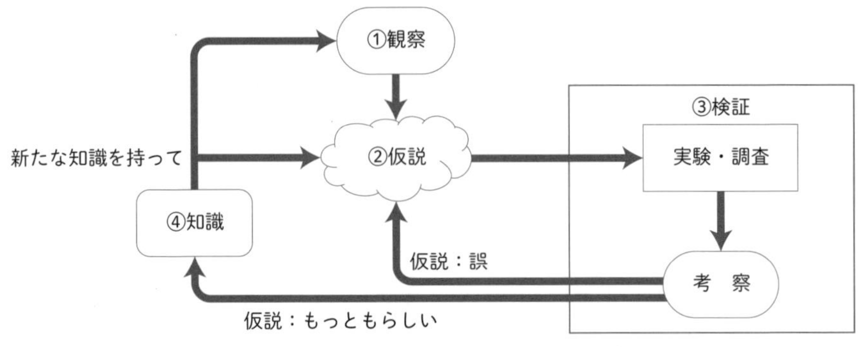

図1－4 仮説を用いた科学的思考のループ

また新たな仮説を考えましょう。もし間違っていなくとも，正しいとは言いきれません。その仮説はあくまで「もっともらしい」にとどまります。検証を繰り返して，次第に信頼性を高めていき，ついに新たな知識として獲得されるのです。

この一連の流れをまとめたのが図1－4です。得られた知識は，それを用いることで再び新たな観察や新たな仮説へと至り，次の段階に進むことになります。このように，仮説を用いた考え方は，スタートからゴールへの一本道のようなものではなく，相互に関連してなんども繰り返すループのような形で理解することができます。このループの各部分のつながりをあらためておさらいしましょう。

①観察＝みてきづく 物事をみることからスタートします。これは実際の現象をみるだけではなく，図や文字で表されるものや既存の理論など，さまざまなものを認識する，ということです。ここで何かに気づくことが仮説を立てる第1歩です。さまざまな角度からみて常識や思い込みにとらわれないことがよい仮説につながります。

②仮説＝ことばにする 観察したことによる気づきを文章などで明確にしたものが仮説です。挨拶の時の友人の様子や，数字の並びなど，観察しただけでは表面的なことしかわかりませんが，表に現れるものの裏にあるしくみを考えることで現象を説明します。つまり，観察したものの理由を考える＝意味づけ

する行為が「仮説を立てる」という作業だと言えるでしょう。意味を与えることで，まだ観察していないものを予測することが可能となるわけです。

ただし，何度も強調しているように，この意味づけは見えない部分を想像することで行われるため正しい保証はありません。また，裏にあるものが異なっても表面に現れる部分は同じに見える場合があるため，複数の仮説が考えられます。

③検証（実験・調査＋考察）＝しらべてよくかんがえてたしかめる　仮説を立てて意味づけすることにより，予測が可能となります。この予測が正しいかを確かめることが検証です。そのためには，最初の観察には含まれない部分を新たに調べる必要があります。これが実験・調査です。そこから得られた結果が予測と一致しているか，すぐ判断できるとは限りませんので，よく考える，ということまで含めて検証となります。これらの作業により，仮説を確かめることができます。

④知識＝わかる　仮説と予測が一致しない場合は新たな仮説を立てますが，一致した場合には仮説は生き残ります。度重なる検証を経て，さまざまな場合に仮説が適用できることが確かめられると，仮説は真実であると考えることが可能となり，知識として蓄えられます。つまり，知識となるということは多くの人が正しいという共通認識をもつことであり，その仮説を前提として次の新たな段階に進むことができます。科学が先人の得た知識の上に発展できるのもこのためです。

ただし，知識となっても仮説であり続ける場合がほとんどであり，間違っている可能性もゼロとはならないことは認識しておくべきでしょう。特にこれまでと違った場所や状況での観察により過去の知識が間違っていたことが明らかになるのはよくあることです。

ループを回して得るものは？

仮説は１つの現象に対して複数あったり，間違っている可能性があったりと，はじめのうちは頼りないものです。しかし，図１−４のループを繰り返すことでどんどん信頼性が増していきます。間違っているものがどんどん除外されるとともに，残る仮説も洗練されていくためです。知識を獲得するためにはこのループの繰り返しが何より重要です。

挨拶の例では，私たちは日常的に裏にあるものを考えている，つまり仮説を立てている，ということを述べました。それと同様に，この「ループを繰り返す」ということも日常的に実践しています。いつもより元気がない友人に「昨日何かあった？」と聞いて「何もないよ」と返ってきたとしても，そうか何もなかったか，と納得するとは限りません。自分には話しにくい何かがあるのでは，とか，もしかすると友人自身も気づいていない身体の不調とか，いろいろな可能性を考えるのではないでしょうか。そして再び聞いてみることもあるでしょう。このように，日常的な行動でも，図1－4のループを繰り返しているのです。

「科学的思考」といっても，物理や化学といった科学の領域だけのことではないことがここからもわかります。日常的にループを繰り返すことで，自分の周囲のできごとをより正しく捉え，自分の行動に対してより明確な根拠を与えることができ，間違いを減らすことにつながります。

仮説を用いた思考を身につけよう

この章では，科学的思考の根幹となる仮説を中心とした考え方について，その全体像を眺めました。図1－4を参考に，観察，仮説，検証といったそれぞれの部分の関係と意味をしっかり理解してください。

これが理解できたら，次のステップは，仮説を中心としてループを正しく回すための方法を学ぶことです。観察での気づきを仮説の形にしたり，仮説の予測と検証の結果を比較したり，とループのある場所から次の場所へと移るときには誰もが納得できる筋の通ったものにしなくてはいけません。この筋を通してつなぐのが**推論**と呼ばれるもので，正しい推論を行うことは科学的思考に必須となります。第2章では，この推論についてみていきましょう。

■■■ コラム ■■■

地動説と殺人疑惑

天動説は星の動きを見た目の通りにとらえたものですが，うまく説明しにくい現象がありました。惑星を何日も続けて観測していると，時々不自然な動きをするのです。ほとんどの時期は星座の中を西から東へ動いているように見えますが（順行），火星など地球より外側の惑星はある時期，東から西へ逆に移動していく逆行と呼ばれる現象が起こるのです（これが惑う星，つまり惑星の語源となりました）。

この動きを説明するため天動説は次第に複雑なモデルを考えなくてはいけなくなります。その状況の中，地球は宇宙の中心ではない，という大胆な発想の転回によりシンプルに逆行を説明したのがコペルニクスでした。太陽を中心に考えると，逆行は地球が外側の惑星を追い越す時に起きる当たり前の現象として説明できます。

その後ケプラーやニュートンの功績により地動説の信頼性が増していくこととなったのは本文に述べた通りですが，ケプラーの法則は経験則であり帰納的に導いたもの，ニュートンの万有引力は共通の法則から惑星の動きを演繹的に説明したもの，と第２章に出てくる２つの推論のよい例でもあります。

地動説の直接的な証拠としては，地球の動く方向や位置の違いにより星の位置が変わって見えるという現象があります。これらはニュートンよりも後の時代に，科学がより発展し観測精度が上がってから発見されました。とはいえ，このような直接証拠がなくとも，さまざまな検証の結果地動説は受け入れられていったのです。

このように地動説は多くの観測データにより検証されていったものですが，そのデータのためにケプラーには殺人の疑いがかけられていました。ケプラーは師匠のティコ・ブラーエの死後に遺された膨大な観測データをもとに法則を見つけ出したのですが，そのティコの死に方が不自然だったことや（晩餐会でトイレを我慢し過ぎたのが原因とのこと）口ひげに水銀が含まれていたことから，毒殺の疑惑が生じたのです。利益を得るものを疑え，ということでしょうか。

ティコの遺体が掘り起こされ，死因が毒殺ではないという調査結果が報告されたのは，死後400年以上経った2012年のことでした。

第 2 章

推論でつなげる

2－1　推論ってなんだろう？
2－2　推論の２つのタイプ
2－3　日常生活の中の推論
2－4　“科学的”に推論を使ってみよう
コラム　アブダクション

すす

2-1　推論ってなんだろう？

科学的思考では仮説を中心としたループ（図１-４）を回すことがとても大事です。しかし，適当にループを回していても，質の良い思考にはなりません。「なるほどね」と思えるようなつながりによってループを回さなくてはなりません。このつながりにおいて，重要な役割を果たすのが**推論**です。この章では推論について学びます。

推論とは「すでにわかっていることから，もっともらしいつながりによって，わかっていなかったことを導き出す」ということです。「すでにわかっていること」を**前提**，前提から導き出された「わかっていなかったこと」を**結論**といいます。もっともらしいつながりのことを，ここでは論理的という言葉で表すことにします。これらの言葉を用いて言いかえると，**推論とは，前提から論理的に結論を導き出すこと**となります。

日常生活でもなにげなく使っている推論

推論は決して特別なものでなく，私たちが日常生活で当たり前のように使っているものです。

①ここのＹ牛丼屋が全メニュー半額キャンペーンをしている。あそこのＹ牛丼屋も半額キャンペーンをしている。ということは大学の近くのＹ牛丼屋も半額キャンペーンをしているかもしれないな。

②たしか，Ｙ牛丼屋のポスターに「全メニュー半額キャンペーン中：10月10日から17日まで」って書いてあったな。今日は10月13日だから，大学近くのＹ牛丼屋に行けば半額で食べられるな。

みなさんも，似たような経験や考え方をしたことがあるのではないでしょうか？　パッと見るだけだと，この２つの例は同じように見えるかもしれません。でも，よく読んでみると，どこか「考え方」が異なっていますよね。次節ではこれらの「考え方」の違いについて少し丁寧に考えていきます。

2-2　推論の２つのタイプ

推論は大きく分けると，**帰納的推論**と**演繹的推論**の２つのタイプに分けることができます。日常生活ではあまり使うことのない用語なので難しそうだと構えてしまうかもしれませんが，日頃の皆さんの考え方をタイプ分けしたものです。用語は気にせず，まずは，中身を見ていくことにしましょう。

帰納的推論とは

「Ａは○○だ，Ｂも○○だ，Ｃも○○だ，だから，みんな○○だ」というタイプの推論を**帰納的推論**といいます。先ほど出したＹ牛丼屋の①の例が，この帰納的推論にあたります。いくつかの具体例から共通する何かを見つけ出し，結論を出すスタイルです。帰納的推論はわたしたちが日常生活でもよく用いている推論です。

例をもう１つあげましょう。大学のキャンパス内で，あなたはサークル仲間のＡ，Ｂ，Ｃの３人とすれ違いました。３人が同じ英語の本を持ち「俺たち，今から授業なんだ」と言ったとしましょう。これが前提です。その時，あなたは「Ａ，Ｂ，Ｃは同じ授業に出るのだろう」「今から受けるのは英語の授業かな」「持っている英語の本は教科書かも」などと考えることでしょう。この考える過程が帰納的推論で，導き出されたものが結論です（図２-１）。

帰納的推論の特徴

帰納的推論は，いろいろな結論を導き出せる推論です。個々のモノやコトに共通するものを見つけ出し，今までの経験に照らし合わせながら自由に結論を導き出すことができます。先のサークル仲間の例では３つの結論を示しました

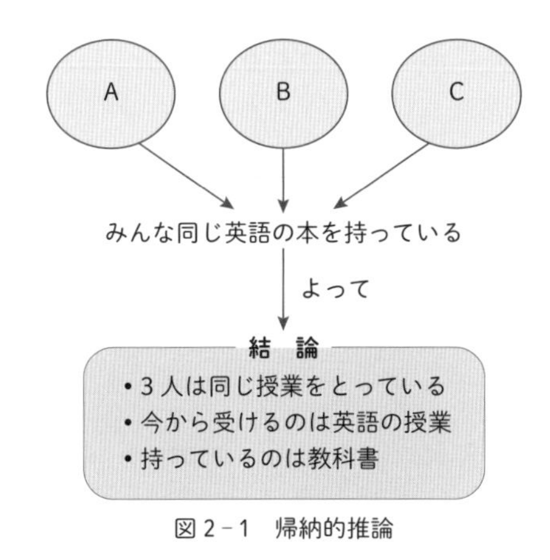

図２－１　帰納的推論

が，これ以外にも「英語の教科書を使う哲学の授業かな」「授業でみんなにおすすめの洋書を持ち寄るのかも」など，想像力を働かせ，さまざまな結論を導き出すことができます。これらはすべて正しいかどうかわからない仮の説明ですから，帰納的推論で出てきた結論は，仮説そのものだとも言えます。

ですから帰納的推論は，さまざまな場面で仮説を立てる時に，とても役に立ちます。具体例を並べ「これらに共通して言えること」という見方によって，いろいろな可能性を引き出すことができるからです。これは逆にいうと帰納的推論は導き出した結論が必ずしも正しいとは限らないということを意味します。３人が同じ本を持ち「今から授業なんだ」と言っても，その本は今から使うものではなく，前の時間の講義で使っていたものかもしれません。そもそも授業で使う本ではなく，たまたま３人が興味を持って大学生協で買ったばかりの本なのかもしれません。個々の事例から推測し導き出した結論である以上，必ず成り立つという保証がないのです。

そこで，帰納的推論のもっともらしさについて検討することになります。もっともらしさを左右するものは２種類あります。ひとつは**データや根拠の確かさに基づくもっともらしさ**，もうひとつは**つながりの強さに基づくもっともらしさ**です。それぞれ具体的に見ていきましょう。

データや根拠の確かさに基づくもっともらしさ

釣り好きのD君が，あなたに次のような話をしました。

> △△湖に行って先週の土曜日と日曜日に釣りをしたら，どちらの日もブラックバスが1匹ずつ釣れたんだよ。あの湖にはブラックバスしかいないぜ，きっと。

さて，あなたはD君の話に「そうだね，ブラックバスしかいないね」と答えますか？ おそらく「いやいや，それでブラックバスしかいないってことにはならないでしょ」などと言うのではないでしょうか。

では，別の釣り好きのE君が，あなたに次のような話をしたとしたらどうでしょう。

> ○○湖に毎週釣りに行くようになって10年経つんだけど，釣れるのはブラックバスばかりなんだよね。トータルで3,000匹くらい釣ったことになるんだよな。あの湖にはブラックバスしかいないぜ，きっと。

あなたはE君の話にどう答えますか？ 今度は「そうかもしれないね」と答えるでしょう。D君，E君，共に帰納的推論を行い，最終的な結論も完全に同じですが，もっともらしさが違いますね。それは，その根拠となるデータ数に大きな差があるからです。統計的な知識がなくてもわたしたちは経験的に，データ数が多いほどそこにもっともらしさを見出します。

つながりの強さに基づくもっともらしさ

続いてもう1つのもっともらしさについて考えます。次の推論に対し，あなたはどのような印象をもつでしょうか。

ツバメもスズメも空を飛ぶ。ツバメは卵を産むから，スズメも卵を産むだろう。

常識的には間違っていないけれど，つながりになんとなく違和感があるという気がしませんか。それは，「空を飛ぶこと」と「卵を産むこと」につながりが見えないからです。では次の推論はどうでしょう。

カラスもペテペソも空を飛ぶ。カラスには翼があるから，ペテペソにも翼があるだろう。

この推論にはどのような印象を持ちましたか？　ペテペソがどんな生き物なのかわかりませんが，帰納的推論としては卵の例よりも違和感がないはずです。それは「飛ぶ」ことと「翼」につながりが見えるからです。わたしたちは翼を使って飛ぶ生物がたくさんいることを知っています。よって，ペテペソという生き物を知らなくても，この推論を素直に読むことができるのです（ちなみにペテペソという生物は実在しません）。

ここで帰納的推論についてまとめます。この推論は，個々の事例に共通するモノ・コトを見出し，もっともらしいつながりによって結論を出すものです。「どこに注目して共通ととらえるか」「どのようなつながりによって結論を導くか」の自由度が高いことから，発想次第でさまざまな結論を導くことができます。その裏返しとして，この推論による結論には「確実に成り立つ」という保証がありません。確実性を上げるためには，データ数やつながりにおける関連性の強さを高めていくことが必要です。

演繹的推論とは

次にもうひとつのタイプの推論を説明しましょう。「Ａが成り立つ場合，Ｂが成り立つ。今，Ａが成り立っている。よってＢが成り立つ」というタイプの推論を**演繹的推論**といいます。少し難しい言い方をすると，一般的・普遍的・確実に成り立つ前提から，より個別的・特殊で確実に成り立つ結論を導くことです。ちょっとややこしく感じますね。しかし，この推論もみなさんが日常生活でごく自然に使っています。

コンビニの例をあげてみましょう。「コンビニは食料品や日用品を扱う24時間営業のお店である。だからコンビニに朝６時に行ったらおにぎりが買える」と考えることには何の違和感もないはずです。これが演繹的推論です（図２-２）。演繹的推論は確実に成り立つ推論です。前提が正しければ，結論は必ず成り立ちます（現実には，コンビニに行ってもおにぎりが品切れで手に入らないことはありえますが，ここではそういうツッコミは入れずに話の本筋を捉えるつもりで読んでください）。

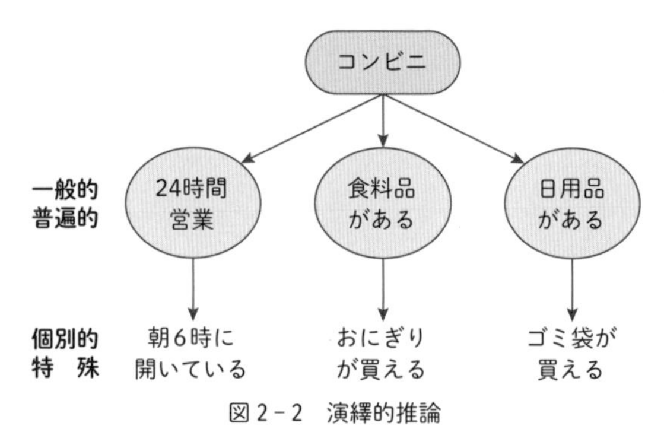

図２-２　演繹的推論

三段論法は演繹的推論のひとつ

三段論法という言葉，みなさんも一度は耳にしたことがあるのではないでしょうか。「ＡならばＢ，ＢならばＣ，ゆえに，ＡならＣ」という論法で，これは演繹的推論の１つです。有名な三段論法の例に次のようなものがあります。

①ソクラテスは人間である。
②すべての人間は死ぬ。
③よって，ソクラテスは死ぬ。

①と②が前提，③が結論です。これも日常生活でしばしば目にする論理です。

誰かが「私，単位は取ったから，もう卒業は大丈夫！」と言ったとします。これを，情報を補填しながら三段論法にそって書き直すと次のようになります。

①私は124単位取得した。
②私の大学は124単位取得すると卒業できる。
③よって，私は大学を卒業できる。

演繹的推論の特徴

演繹的推論では，前提が成り立つならば，導き出される結論は必ず成り立つということが特徴です。**前提が正しければ結論は常に正しい**という，ある種の「絶対感」がありますが，裏を返せば，**前提に含まれない新しい提案はできない**ということです。想像力を働かせてさまざまな結論を導き出せる帰納的推論とはまったく違いますね。

演繹的推論では，この「前提が正しければ」が重要なポイントになります。前提を間違えていると結論がおかしくなる，ということです。例文をつかって見ていきましょう。

①クジラは魚類である。
②魚類はエラ呼吸をする。
③よって，クジラはエラ呼吸をする。

これは演繹的推論としては正しくつながっています。しかし，クジラは肺呼吸をする動物ですので，得られた結論は正しくありません。なぜ正しくない結論になっているのでしょう。みなさんもお気づきですよね。クジラは海で生活する動物ですが，魚類ではなく哺乳類です。①の前提が誤っているために，演繹的推論を正しく行っても，得られた結論は正しくないものになってしまったのです。

演繹的推論は一般的・普遍的に成り立つ前提から個別に成り立つ結論を出すものです。前提に含まれない新しい提案はできませんが，誰が行っても同じ結論が導き出されます。ただし，前提が誤っているとそれに基づいて誤った結論が得られてしまいます。ですから，結論が正しそうに見える場合でも前提に誤りがないかどうかを十分に確認しなくてはなりません。

2-3 日常生活の中の推論

推論は特殊なものではなく，日常においてなにげなく行っているものであること，そして帰納的推論と演繹的推論の2つのタイプに分けられることをお話ししました。ここでは，日常生活の様々な例を題材として，具体的にどんなところでどの推論が使われているのか，また，どのようなことに配慮しなければならないのか，詳しくみていきましょう。

会話にみる推論

何気ない会話の中にも推論が含まれていることはよくあります。この章の冒頭にあるマンガをもう一度よく読んでみてください。おばあちゃんと孫のほのぼのとした会話ですが，ここに帰納的と演繹的の2つの推論を見出すことができます。孫の頭の中でどのような推論が働いているかを確認しましょう。

①おばあちゃんがすしのことを「すす」と言っている（そういえば，獅子舞のことを「すすまい」，新幹線を「すんかんせん」と言っていた気がする）。おばあちゃんはどうやら「し」を「す」と発音するみたいだな。

まず，おばあちゃんが寿司を前に「すす」と言ったことで，孫の頭の中では，帰納的推論が働きました。おばあちゃんの発言と，今までのおばあちゃんに関する知識をもとに，個々の例に共通するコト（ここでは，単語に含まれる「し」

が全て「す」に聞こえる）から，「し」の発音に関する結論を導き出しています。

②もし「し」を「す」と発音するとすれば，「さしすせそ」と言わせたら「さすすせそ」というはずだ。

つづいて，演繹的推論を働かせて，『さしすせそ』が『さすすせそ』になることを予想しています。そして，実際におばあちゃんに言ってもらうことで推論の正しさを確認しています。

買い物と推論

街で買い物をするときにも，ほとんど意識することなく帰納的推論を働かせていることがあります。例えば，歩いていて何となく目についたお店に入ったとしましょう。商品を見て，自分が思うより安い値段で売られているものが多い場合，わたしたちは「ここは商品が安く買えるお店である」と思うことでしょう。あるいは，あるコンビニに初めて入ったとき，そこで電子マネーが使えることを知らなかったとしても，他の何軒かのコンビニで使えることを知っていたら「このコンビニでも電子マネーが使えるだろう」と思うことでしょう。

これらは帰納的推論を働かせたことによって得た結論です。なぜなら，店内で目にした多くの商品が予想よりも安いという共通点，あるいはこれまでに入ったコンビニで電子マネーが使えたという共通点，に基づき結論を導き出しているからです。

帰納的推論だけでなく演繹的推論もまた，買い物の際によく使われています。私たちは「ドラッグストアでは薬が売られているが，多くのドラッグストアでは食料品や日用品も安く売られている」ことを知っています。帰宅途中に寒気を感じ，風邪薬とカップラーメンを買って帰ろうと考えたとします。そこで「帰る途中にあるドラッグストアに立ち寄って2つの買い物をしよう」と思いついたとしたら，その結論は演繹的推論によって得られたものだと言えます。あるいは，風邪薬とカップラーメンが欲しいと思いながら，偶然見つけたドラッグストアに迷いなく入ったとするなら，そこでも演繹的推論が働いていると言えます。これらの思考や行動は，「ドラッグストアとはこういうものである」という一般化された知識に基づいて個別のドラッグストアに関して導き出した結論だからです。

前提の抜けに注意

推論は提示された前提に基づいて行います。ところが，世の中に目をむけると，もっともらしい前提を暗黙のうちに仮定していることがよくあります。次の例文を読んでみてください。

> 日本の消費税10％というのは国際的にみると高いほうではありません。欧米諸外国では消費税が15％を超えています。ですから，日本も消費税を15％にすべきです。

さらりと読むだけだと，違和感があまりない人や，納得してしまう人が多いかもしれませんが，実はひとつ大事な前提が抜けています。演繹的推論の視点からこの文を分析すると次のようになります。

> 前提１：日本の消費税は10％である。
> 前提２：欧米諸外国では消費税が15％を超えている。
> 前提３：？？？
> ↓
> 結論：ゆえに日本も消費税を15％にすべきである。

ここで抜けていると考えられる前提は，「日本の消費税は欧米諸外国に合わせるべきである」，あるいはそれに近い前提です。日本が，先進国という枠組みで欧米諸外国とひとくくりに論じられることに慣れてしまい，同様の行動をとることを無意識に受け入れてしまいがちです。前提３を「諸外国に合わせなくてもよい」とすれば，結論は変わってくるかもしれません。

もうひとつ別の例をみてみましょう。

> サプリＡには肌のハリを保つ上で大切な役割を担っているコラーゲンが豊富に含まれています。サプリＡでピチピチなお肌を手に入れましょう！

これもさらりと読むと，納得してしまうような宣伝文句です。でも，やはりひとつ重要な前提が抜けています。

> 前提１：肌のハリを保つ上でコラーゲンが大切な役割を担う
> 前提２：サプリＡにコラーゲンが豊富に含まれている
> 前提３：？？？
> ↓
> 結論：ゆえにサプリＡで肌のハリを保つことができる。

ここで抜けている前提は「サプリＡを飲むと体内にコラーゲンが取り込まれて肌に供給される」です。実は，コラーゲンはたんぱく質の一種で，そのままコラーゲンとして体内に取り込まれるのではなく，アミノ酸という部品レベルに分解されてから吸収されます。科学的な知識をつけ加えると，肌に含まれるコラーゲンは，体内にあるアミノ酸を材料として改めて体内で作り出されるものなので，健康で体内にアミノ酸がバランス良く存在していれば，サプリＡを飲まなくても，きちんと作られます。このように，抜けている前提を補うことで，その前提や結論の間違いに気づくこともあります。

みなさんも，日常生活のいろいろな場面で同じような見方や考え方を当てはめてみて，無意識に受け入れたり，補ったりしていないか考えてみてください。いろいろな気づきが得られるはずです。

2－4　“科学的”に推論を使ってみよう

推論は「すでにわかっていることから，もっともらしいつながりによって，わかっていなかったことを導き出す」ことです。この導き出された「わかっていなかったこと」は，仮説にすることができます。「もっともらしいつながり」の理由も，仮説になることがあるでしょう。また，もっともらしいつながりは，ひとつだけだとは限りません。「いくつかあるけど，このつながりが一番しっくりくるなぁ」と感じたとしたら，それは科学的思考における立派な仮説になります。ここでは科学的思考において仮説を立てるために推論がどのように使えるのか，もう少し詳しくみておきましょう。

帰納的推論で仮説を立てる

まず帰納的推論と仮説づくりの関係について考えてみましょう。帰納的推論は前提から結論を導き出す上でかなり自由度が高い推論で，つながりをどう考えるかによっていろいろな結論を導き出すことができましたね。実際，観察事実から仮説を立てる場合はもっぱら帰納的推論が使われます。

朝に浮かない顔をした２人の友達に会ったら，「何かあったのかな？」「来る途中にいやな目にあったのかな？」「今日の定期試験が気になっているのかな？」など，いろいろなことを考えますよね。観察事実がごく少数なので，まだ仮説を絞ることができません。さて，気兼ねして何があったのかを直接２人に聞かないまま教室に入ったとしましょう。そこでも，やはりなんとなく浮かない顔をした同級生が多くみられました。「友達はやはり今日の定期試験が気になっているのかもしれない」という仮説がもっともらしいものになってくると同時に，「あれ，もしかして今日の試験はいつもより難しいのかな？」「今日の試験は成績に大きく影響するものだったかな？」「試験について何か大事なことを聞き逃していたかな？」など，帰納的推論により新たな仮説を立てることにつながっていきます。

演繹的推論で仮説を立てる，確かめる

一方，演繹的推論とは，一般的・普遍的・確実に成り立つ前提から，より個別的・特殊で確実に成り立つ結論を導くことでした。演繹的推論を使って仮説を立ててみましょう。

初めて会うアメリカ人留学生 Jimmy と話すことになったとき，私たちは英語を使おうとするでしょう。「Jimmy は英語を話すだろう」という仮説に基づいた判断です。「アメリカ人はみんな英語を話す」「Jimmy はアメリカ人である」，よって「Jimmy は英語を話すだろう」という演繹的推論により，先の仮説が立てられたことになります。

演繹的推論は，仮説を確かめる場面でも大きな力を発揮します。まず，何かの仮説を立てたとします。この仮説を前提とすることで演繹的に導き出せる結論があります。それが成り立つことを実際に確認できたなら，立てた仮説のもっともらしさが確かめられたことになります。逆に，もし推論によって導いた結論が実際には成り立たないことが確認されたなら，前提とした仮説に問題があった，と見当をつけることができるわけです。先の例でいえば，「アメリカ人はみんな英語を話す」という仮説を立てたなら，演繹的推論により「アメリカ人留学生の Jimmy は英語を話す」はずです。そして，実際に Jimmy が英語を話すことを確認できればもっともらしさが確かめられたことになり，逆に英語をまったく話せないことがわかれば，仮説は正しくなかったことになります。これは推論を利用して仮説を確かめることの一例です。仮説の確かめ方については，次章でより深く学びます。

推論による仮説づくりを実践してみる

あなたがよく行くコンビニエンスストアの店内を思い浮かべてみて下さい。あなたがよく買うものは何でしょうか？　その商品は店内のどこにおいてあるでしょうか？　他のコンビニエンスストアでは，その商品はどこに置いてあるでしょうか？　コンビニエンスストアの商品レイアウトに関する仮説を立ててみましょう。

多くの人がコンビニでおにぎりを買ったことがあるでしょう。さて，おにぎりはコンビニ店内のどこにおいてありましたか？ コンビニSを思い出すと，入口正面のレジ横にあります。コンビニLやコンビニFはどうでしょうか？ どちらもやはり入口正面のレジ横にあることが思い出されます。ここで帰納的推論を働かせると「コンビニでおにぎりやお弁当は入口正面のレジの横にある」との結論に至りますが，これは仮説でもあります。さらに広げて「よく売れるものほど，レジの近くに置いてあるのではないか？」という仮説が立てられるかもしれません。

今度は演繹的に推論し，その仮説を確かめてみましょう。「レジから遠いところには，あまり売れないものがある」。確かに，レジからちょっと離れている，普段ほとんど行かない棚には，封筒やビニールひも，爪切りなどが並んでいます。先の仮説はもっともらしいように思えます。では飲み物コーナーは？ 思い出してみるとレジからもっとも遠いところにあることに気づきます。でも飲み物はよく売れているようですね。どうやら，よく売れるものほどレジに近い，は常に成り立つとは限らないようです。そこで改めて仮説を作り直します。例えば「よく売れるものを分散して配置しているのではないか？」と言った仮説が考えられそうです。改めて演繹的に推論し，この仮説のもっともらしさをみなさんそれぞれで確かめてみてください。

推論は科学的思考のエンジン

この章では２つのタイプの推論について学びました。

帰納的推論は，得られた結論が常に正しいとは限らないものの，前提に含まれない新しい結論を導くことができるものです。前提からの広がりが期待できるため，仮説を立てるところで大きな役割を果たします。仮説に基づいて考える科学的思考において，帰納的推論は仮説を立てるために大活躍します。

一方，**演繹的推論**は正しい前提から正しい結論を導くことができる推論です。前提に含まれない新しい提案ができないので，仮説を立てるところで帰納的推論ほどのパワーを発揮することはありません。しかし，第１章で学んだように，科学的思考では仮説を作るだけでなく，そのもっともらしさを確かめて，次の仮説につなげることも欠かせません。前提が正しければ確実に正しい結論を導き出すことができるという演繹的推論の特徴は，仮説のもっともらしさを確かめるところでとても大切な役割を果たします。

２つの推論はいわば科学的思考におけるエンジンであり，これらを上手に組み合わせることで図１－４のループを円滑に回すことができるようになります。

第１章で示したように，科学的思考では仮説を立てたあと，その仮説のもっともらしさを確かめることが不可欠です。次の章では「仮説のもっともらしさをどうやって確かめるのか？」について詳しく見ていきます。

■■■ コラム ■■■

アブダクション

本書では取り上げませんでしたが，推論について書かれたものを読むとしばしば**アブダクション**という言葉を目にします。これは「仮説形成法」あるいは「仮説的推論」とよばれるもので，「起きた現象に対して，経験や知識に基づいたルールや法則をあてはめることで，その現象が生じる原因についての仮説を立てる」推論を指します。

例えば，駅の自動改札機に切符を通したとき，キンコーン，と警告音が鳴ってゲートが閉まったとします。初めての経験であれば，一瞬何が起きたかわからずとまどってしまいます。ですが自分を通さないための機械の反応であることから，経験や知識に基づいて「切符が正しく認識されていないのかも」「料金が足りていないのかも」などの原因に関する仮説を立てることができます。生じた結果とそれまでの経験に基づいて，もっともらしい原因を推し量る推論，これがアブダクションです。

第 3 章

仮説を確かめる

3－1　なぜ確かめるのか？
3－2　つみあげる証拠，一撃必殺の反証
3－3　その確かめ方で大丈夫？
3－4　“もっともらしい”ということ
コラム　カフェ＆バー Four Cards にて／白いカラス？

ほっくり返す
ワン
ワン
ゴロ
どうした？
ここさ
何かあんのかや…
埋蔵金
まさか!?
ほっくり返してみっぺ
（掘り返してみよう）
ザクッ
ザクッ
ワンワン
ガキンッ
入れ歯すかや!?

3－1　なぜ確かめるのか？

科学的思考は仮説を中心とした考え方です。観察から仮説を生み出し，仮説の確からしさを少しでも高めようと，思考のループを回します。「気づき」を原動力として立てた仮説は「確かめる」という検証プロセスと必ずセットになっています。仮説を確かめたり，その確からしさを高めたりすることでどんな良いことがあるのでしょうか。

仮説を知識へ

仮説を確かめて得られるのは**知識**です。科学的思考を模式的に表した図１－４では，「検証」から出た「もっともらしい」という矢印に導かれて，「仮説」は「知識」へとつながっています。

知識を共有することで，私たちはよりよく世の中を見ることができます。また，獲得した知識を前提として改めて世の中を見ると，それまで気づけなかったことに気づくようになります。これらのプロセスを繰り返すことで，世の中に対する理解がより深く豊かになっていきます。

……と，こういうふうに言うと何のことやらと思うかもしれません。知識を共有することのメリットは，挨拶の例で考える方が分かりやすいでしょう。ふと気づいた友人の変化に何かあったのでは，という仮説を立て，それを言葉にして確かめます。それによりあなたは友人の体調，状況，気持ちを知識として友人と共有し，適切なコミュニケーションに役立て，その日１日を豊かに過ごすことができるでしょう。確かめないで，なんとなくそのままにしておいて，１日モヤモヤとしたまま，ぎくしゃくした感じで終わってしまうのとはくらべものになりません。

仮説を確かめるのは，知識を共有するためであることがわかりました。では，知識として共有するために，仮説をどのように確かめればよいのでしょうか。

「証拠」と「反証」

「確かめる」とは，仮説のもっともらしさを示す根拠をはっきりさせることです。多くの人が認めて初めて仮説が「知識」となるわけですから，仮説の確からしさ，もっともらしさを示す根拠も多くの人が認めるものでなければなりません。「自分がそれを強く信じているから」とか「なんとなく正しそうなあの人が言うことだから」というのは，そう思っていない人にとってみればまったく理解も共感もできませんから，根拠にはなりません。仮説を確かめるときは，だれもが共有できる事実や論理に基づいて根拠づける必要があります。

もちろん，「仮説は間違っている」と考えることもあるでしょう。このときは「仮説が間違っている」ことを根拠づける必要があります。図1－4では，検証から出た，仮説が「間違っている」ときの矢印は，直接「仮説」にもどり，仮説を修正することになっています。これは，誰もが共有できる事実や論理に基づいて「仮説が間違っている」ことが根拠づけられ，「仮説が修正されるべき」ことが示された，ということです。

仮説の確からしさ，もっともらしさを支持する根拠を**証拠**とよびましょう。仮説が間違っていることを示す根拠は，仮説に「反する証拠」ですから，これをちぢめて**反証**とよびましょう。仮説を確かめるとは，「証拠」や「反証」をあげることにほかなりません。

「確かめる」大事さ

ちょっとした気づきから「もしかして○○じゃないか」という仮説を立てる過程は，ちょっとドキドキ，ワクワクする楽しい過程だといえるでしょう。ですが，その仮説は，共有できるものになって初めて意味を持ちます。仮説は，立てるときには間違っていてもよいのですが，仮説の検証を間違えてしまうと，「科学的思考」全体がくずれてしまいます。独創的な気づきに基づく素晴らしい仮説であっても，きちんと検証して確かめなければ意味がありません。科学的思考のループをきちんと回すには，しっかりした仮説検証のプロセスが不可欠です。本章では，科学的思考のループの中で最も厳密さが必要とされる**検証**

の過程を独立して取り上げ，詳しくみていきます。

3－2　つみあげる証拠，一撃必殺の反証

「確かめる」の基本

第1章では，仮説を立てることで予測が可能となり，この予測が正しいか確かめることが検証であると述べました。また，検証では，仮説を立てた時の観察には含まれない，新たな部分を調べる（新たな観察を行う）必要があることを指摘しました。これらの関係を「証拠」と「反証」という言葉を用いて表すと図3－1のようになります。

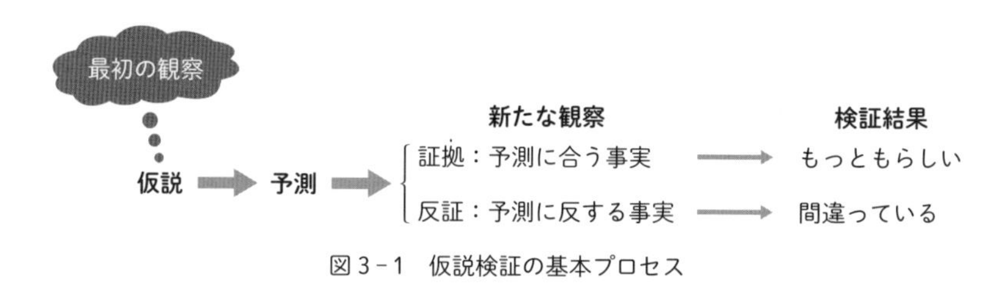

図3－1　仮説検証の基本プロセス

仮説を確かめるうえで実行すべきプロセスはこれにつきます。ですが，仮説は，簡潔なものから複雑なものまでさまざまです。他の人が立てるものもあれば，自分が立てるものもありますね。具体的な「確かめる」プロセスは，それぞれの仮説ごとにずいぶんとちがって感じられるかもしれません。まずは，簡潔な仮説を取り上げ，「確かめる」の基本プロセスをしっかり理解しましょう。その上で，基本プロセスのパターンがさまざまな仮説に対しても同じように使えることを，具体例を通して学びましょう。

仮説「カラスは黒い」

まずは，日常的にもイメージしやすく簡潔な仮説として「カラスは黒い」を取り上げましょう。この当たり前に思われる仮説を確かめてみることで，図3－1の基本プロセスをどのように使えばよいかを確認してみましょう。

仮説「カラスは黒い」から，「世の中にいるカラスはすべて黒い」ことが予測されます。シンプルでわかりやすい仮説は，ほぼそのまま予測になります。次に，「新たな観察」の準備に入ります。観察された仮説を支持する根拠が「証拠」，仮説の誤りを示す事実に基づいた根拠が「反証」でしたから，それぞれ「証拠＝予測に合う事実＝カラスが黒であること」，「反証＝予測に反する事実＝カラスが黒ではないこと」となります。証拠と反証が明らかになったので，新たな観察によりこれらの証拠と反証のどちらが得られるか確かめることで，仮説は検証されます。

予測してから観察しよう

1羽目のカラスを観察すると，黒でした。証拠が挙がったので，仮説の確からしさが上がりました。2羽目も黒でした。確からしさはさらに上がります。このままカラスを10羽，100羽，1,000羽……とたくさん観察し，それらが黒ければ，仮説を支持する証拠が増え，仮説はより確からしくなっていきます。これは，第2章で述べた，帰納的推論でデータが多ければ多いほど，もっともらしさが高まる，というのと同じです（図3－2）。

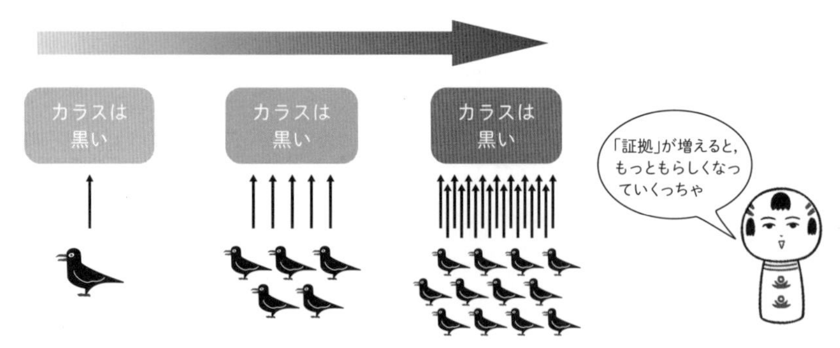

図3－2　「証拠」が増えれば，仮説の確からしさが増していく

さて，ここで1羽の白いカラスに登場してもらいましょう。黒くないカラスですから，反証が観察されました。仮説はどうなりますか。これまで何千羽，何万羽，何十万羽の黒いカラス（証拠）で支えられた仮説であったとしても，

たった１羽の白いカラスという反証によって，仮説「カラスは黒い」は成り立たなくなります。たったひとつの反証により，仮説の誤りが示されました。仮説は修正を迫られます。

このように，仮説から予測された「証拠」は，仮説のもっともらしさを高めます。証拠が増えればもっともらしさは増していきます。予測に反する「反証」は，仮説が間違っていることを示します。これは，それまで多くの証拠に支えられた仮説であったとしても同じです。これが，「仮説を確かめること」における証拠と反証の関係です。「証拠」は仮説を支持し，その確からしさを補強しますが，どこまで行っても「確からしい」としか言えません。なぜなら，どれだけたくさんの証拠で固められた仮説でも，たったひとつの「反証」により仮説が間違っていることが示されるからです。

簡潔な仮説「カラスは黒い」を見ることで，仮説の確かめられ方，証拠や反証の役割の基本を理解できたかと思います。これは，観察から複数の仮説が立てられる場合にも同じように用いることができます。

次にくる数はなに？

第１章「数字の並び問題」に，少し装いを変えて再登場してもらいましょう。

1，2，3，6　と数字が並んでいます。次にくる数字はなんでしょう？

この場合，数字の並びを説明する法則性が仮説であり，法則性は次にくる数を予測します。同じ数の並びの観察から，異なる複数の仮説が考えられましたね。次の２つの仮説について考えましょう。

仮説①：1，２から始まり，前にある数字を全て加えたものを次の数とする。
仮説②：18の約数である。

仮説①は「1，2」から始まり，「１＋２＝３」，「１＋２＋３＝６」が「1，2，

3，6」という並びと一致するという観察から得られます。仮説①が予測する次の数は「1＋2＋3＋6＝12」で「12」となります。仮説②は「18の約数＝{1，2，3，6，9，18}」の最初の4つが，「1，2，3，6」という並びと一致するという観察から得られたもので，仮説②の予測は「9」です。

それぞれ仮説から予測が導かれたので，それぞれの仮説の証拠と反証が決まります。仮説①の証拠は「12」，反証は「12以外の数」，仮説②の証拠は「9」，反証は「9以外の数」です。次の数が明らかにされていないこの時点で，仮説①と仮説②の確からしさはまったく同じです。

それぞれの証拠と反証が明らかになったので，新たな観察をしましょう。次の数は9でした。「9」は仮説①の反証ですから，仮説①は否定され捨てることになります。一方，「9」は仮説②の証拠ですから，仮説②の確からしさは上がります。証拠や反証を観察し，仮説①は捨て，仮説②のもっともらしさが増す，という形で，科学的思考のループ（図1－4）がまわりました。「仮説②が正しかった」と言わないのは，この次に提示される数で，もしかしたら仮説②が否定されるかもしれないからです。この次の観察が「18」であれば，さらに仮説②の確からしさは補強されます。仮説②は「18の後には数はない」ことを予測しますから，次の数字が提示されない限りは，その後ももっともらしさが保たれます。

「正しい」とは言わない

この期に及んでも「仮説②が正しかった」と言わないのは，「ポンッ！」といつ次の数字が提示されるかわからないからです。数字が提示された瞬間に，仮説②は否定され，数字の並びを説明する新たな仮説を考えなくてはならなくなります。「いやいやもう，仮説②が正しいでいいでしょ！」と思うかもしれませんね。でも科学的思考は，仮説の確からしさがどれほど増して「正しい」に近づいたと思えても，「もしかしたら」と考えて「正しい」と言うことを保留するのです。数字の並び問題は，科学的思考において「仮説」と「正しさ」との関係をよく表している例題です。

「ドアの外にいるのはお母さんだ！」仮説

まったく違う視点から「確かめる」を考えてみましょう。題材は，グリム童話の「オオカミと七匹の子ヤギ」です。皆さんも一度は読んだことがあると思いますが，物語を簡単におさらいしましょう。

お出かけしたお母さんヤギの留守を狙って，オオカミはお母さんヤギのふりをして，子ヤギたちにドアを開けさせようとします。子ヤギたちは「お母さんはそんなガラガラ声じゃない！」「お母さんの足はそんな色じゃない」と２度オオカミを追い返します。が，チョークを食べて声をきれいにし，小麦粉で足を白くしてドアの外に立ったオオカミに，子ヤギたちは「お母さんが帰ってきた！」とドアを開けてしまい，末っ子ヤギを除いた子ヤギたちはオオカミに食べられてしまいます（この後，お母さんと末っ子ヤギは協力して，食べられた子ヤギ達をオオカミのお腹から救出します）。

この童話は，仮説「ドアの外にいるのはお母さんだ！」を子ヤギたちが確かめる物語として読むことができます。これまで学んだ仮説を確かめる基本パターンをそのまま当てはめてみましょう。

仮説「ドアの外にいるのはお母さんだ！」は何を予測するのでしょうか。外にいるのがお母さんであれば，「きれいな声をしている」「白い足だ」「モフモフしている」「やさしい」「ぼくたちが何人兄弟姉妹か知っている」などなど，ドア越しでもわかるお母さんに関することが予測され，これらがすべて「証拠」になります。「反証」はこれらの予測に反することで，「きれいじゃない声（例えば，ガラガラ声）」「白くない足」などです。

子ヤギたちはどこで間違えたのか

お母さんヤギが出かけた後，最初のドア越しの観察で子ヤギたちは「ガラガラ声」という反証を得たので，「外にいるのはお母さんではない」と考え，ドアを開けずにオオカミを追い返しました。２度目の観察では「白くない足」という反証を得て，もう１度追い返しました。３度目の観察では「声がきれいで，足も白い」ということで，仮説「ドアの外にいるのはお母さんだ！」が正しいと考えて，ドアを開けてしまいました。

子ヤギたちは1度目と2度目の観察では，きちんと仮説を検証し，科学的思考のループをまわしてオオカミを追い返しています。オオカミは追い返されるたびに「証拠」を捏造して「反証」をつぶし，3度目にはついに子ヤギたちに「仮説が正しい」と信じさせます。子ヤギたちは3度目の観察で，お母さんに会いたいという思いに負けて，「科学的思考」を手放したといえます。確かめなければならないことは他にもたくさんあったので，本当はもっと証拠を集めて仮説の確からしさをあげてからドアを開けたほうがよかったのです。

「オオカミと七匹の子ヤギ」は，科学的思考において仮説を確かめるというプロセスがいかに大事かを教えてくれる物語です。世の中には意見や主張があふれています。グリム童話の子ヤギたちが立てた仮説もそんな意見や主張の1つです。いろんな意見や主張を「仮説」と捉え，「それを確かめるには？」とここで学んだパターンに当てはめて考えれば，仮説を確かめるプロセスの実践的な練習となるでしょう。

3-3 その確かめ方で大丈夫？

オオカミに食べられないためには？

仮説を実際に確かめる場面では，証拠集めをしているつもりが証拠にならないものを集めていた，ということがよくあります。子ヤギたちの物語をもう少し詳しくみてみましょう。

子ヤギたちが住んでいる家のドアが透明で，外にいるのがだれか丸見えであれば，子ヤギたちがだまされることはなかったでしょう。この物語のミソは，証拠や反証が，木で作られたドア越しで確かめられることに限定されていたところ

です。丸見えではないからこそ，お母さんであることを確かめるにはたくさんの証拠（断片的な証拠）を集めなければならなかったのですが，子ヤギたちは２つの証拠で満足してドアを開けてしまいました。２つが少なかったとすれば，子ヤギたちはいくつ証拠を集めるべきだったのでしょう？

実は，子ヤギたちがどれだけたくさんの証拠を確かめたとしても「オオカミが真似できる（捏造できる）お母さんの特徴（証拠）」を確かめている限りは，子ヤギたちは「お母さんだ！」と確信しドアを開けた瞬間に食べられてしまうことになります。子ヤギたちが食べられないためには，オオカミが絶対にマネできないお母さんの特徴，例えば「牙がない」，「鋭い爪がない」などを確認しなければならなかったのでしょう。でも，もしこれもオオカミが偽装できるとしたら，これでも決定的証拠にはなりません（「牙」も「鋭い爪」もないオオカミなんか怖くない！とは言わないでください）。

本当に食べられないようにしようとすれば，例えばお母さんと子ヤギたちの間で暗号のような合言葉を決めておけばよかったことになります。オオカミはこの合言葉を知りようがないですから，オオカミが何度やってきても，子ヤギたちが「合言葉は？」と確かめれば，合言葉を知らないという反証が必ず得られ，ドアを開けることはなかったでしょう。

振り込め詐欺にひっかからない

振り込め詐欺はもうずいぶん前から社会問題になっていて，対策もいろいろ取られていますが，なかなかなくなりません。だまし方は「オオカミと七匹の子ヤギ」でのオオカミのやり方と本質的に同じです。

まず，電話越しなので相手が本当に孫や子なのか，直接的に確かめられません。そのうえで，「事故を起こしてしまって大変だ！」とか「大事なお金を無くしてもう会社に戻れない！」とか言われると「早く助けてやらねば！」と思ってしまいます。少しは冷静に本人なのか確かめようと「本当に○○かい？」と自分の方から名前を言って確認してみたり，「声がいつもとちょっと違うね」と尋ねたら「風邪ひいているんだ」という答えが返ってきてすんなり信じたりと，証拠になっていない証拠に納得してしまいだまされてしまいます。子ヤギたちの「お母さんに早く会いたい！」という思いをオオカミが利用しているのと，祖父母や両親の「孫や子を早く助けてやりたい！」という思いを詐欺の犯人たちが巧みに利用しているところもそっくりです。振り込め詐欺に引っ掛からないようにするためには，家族しか知らない暗号や合言葉を設定するのが良いでしょう。

「証拠」と「反証」の重さ

断片的な証拠をたくさん積み上げないと仮説の確からしさが上がっていかない状況はちょっと厄介です。たくさんの証拠があがっていても，ひとつでも反証が出れば仮説は崩れます。これが科学的思考です。ですが，もしある仮説に対し「すごくたくさんの断片的な証拠」と「たった1つの反証」を得ていたとして，私たちは「この仮説は間違っている！」とあっさり捨てられるでしょうか。

例えば，その仮説があなたが苦心して立てたもので，とても愛着があり，間違いないと考えていたとして，あなたはその仮説をあっさりと捨て去ることはできますか。これは言うほど簡単ではなさそうですね。でも，このような場合でも，あるいは，このような場合こそ，仮説を決然と捨てる，あるいは修正するべきなのです。「反証」の力はそれほど強いものなのだ，と心にとめておきましょう。

どのカードを裏返す？

子ヤギや振り込め詐欺の例は，「断片的な証拠」はあるが明確な「反証」が得られず，結果として判断を間違ったものでした。次は，証拠も反証もはっきりしているにもかかわらず，それでも間違えてしまう，「4枚カード問題」として知られるちょっとおもしろい例を紹介します。

図3-3のように，カードの片面には数字が書かれ，反対の面には色が塗られています。「これら4枚はすべて【数字が偶数であれば色は赤い】という規

則で作られています」と言われました。この４枚のカードが本当にこの規則にしたがって作られているかどうかを調べるためには，どのカードを裏返して確認すればよいでしょう。ただし，裏返して確認するカードは最小限にとどめるとします。

４枚全部裏返せば正しく作られているかどうかはもちろんわかりますが，最小限が４枚ということはなさそうですよね。あなたはどのカードを裏返しますか。少し時間をとって考えてみてください。

図３－３　数字と色が組み合わされた４枚のカード

まず，枚数だけ教えてしまうと答えは「２枚」です。どのカードでしょう。１枚はもちろん数字の「８」のカードですね。これの裏が赤じゃなければ，ルールは守られていないことになりますから，確認しないといけません。もう１枚はどれでしょう？　……ここで色が「赤」のカードを選んだ人，もう一度ゆっくり考えてみませんか。

ちゃんと予測してみると

検証の基本パターンを思い出しましょう。まずは仮説から予測を導くのでしたね。「数字が偶数であれば色は赤い」という仮説は何を予測するでしょう。まず「数」がわかっている場合は「数が偶数であれば赤いカードだ」を予測し，これが証拠になります。反証は「数が偶数であるにもかかわらず色が赤ではない」ですね。ですから数が偶数であるカードは確認しなければなりません。

色の面が見えているカードもありますから，「色」がわかっている場合の予測も必要です。仮説は「色」の面が見えているカードに関して何を予測するでしょう。仮説「偶数であれば赤」は「色が赤のカードは偶数である」ということを予測するでしょうか。仮に，数字が偶数か奇数かによらずカードがすべて赤色で作られていたとしましょう。これでも，仮説「偶数であれば赤」は成立しています。ですから，仮説「偶数のカードは赤である」は「赤」のカードの数字に関しては何も予測しません。「色が赤のカードは偶数」という予測は間違っているということです。ですから，「赤」のカードを裏返しても「証拠」も「反証」も得られず，仮説「偶数カードなら赤」を確かめる目的で「赤」のカードを裏返すことは，何の役にも立たない，まったく無駄な作業だということがわかります。

「じゃないほう」が大事

赤じゃない，赤以外の色のカードはどうでしょう。仮に「赤じゃないカードが偶数だった」場合，これは仮説「偶数であれば赤」の反証になります。ですから，仮説は「色が赤じゃないカードは偶数ではない」ことを予測します。つまり，確認すべきは「赤じゃないカード」で，それが「偶数ではない（奇数だ）」が証拠，「偶数である」が反証となります。数と色に関する予測，証拠と反証がそれぞれ明らかになりました。これらに基づいて，確認すべきは偶数の「8」と赤じゃない「青」の２枚のカードとなります。

数が奇数のカードに関しては，仮説が何も言ってないことは「なんとなく」の判断でもわかるので，奇数のカードを確認しようとする人はあまりいません。でも，「赤」のカードを確認してしまう人はずいぶんいます。ちなみに，この４枚カード問題に対して一番多い回答は「８と赤」，次に多いのが，「８だけ」だそうです。面白いですね。なぜこのような回答が多いのかは

「人が仮説に直接当てはまる例を探したがる傾向があるから」などと説明されます。これは,「偶数なら赤」という仮説で直接使われている言葉に当てはまるのが，偶数のカードと赤色のカード，ということです。

意味のない調査

「４枚カード問題」は頭の体操でしょ，こんなの現実ではめったにないよ，と思うかもしれません。でも，実際，データに基づいて仮説を確かめようと調査をして証拠を得ようとするときにも，けっこう無駄なものを調べることがあります。

例えば，南国の無人島にあなたが初めて入り，たまたま見たカラスが黒かったので仮説「カラスは黒い」を立てたとします。この仮説を確かめるために島にすむカラスを含めた鳥の調査をするとしましょう。あなたはどんな鳥を調べますか。「黒い鳥を片っ端から捕まえて，カラスかどうか調べればいい」と考えたとすれば，４枚カード問題と同じ間違いをしていることになります。仮説「偶数のカードは赤い」と仮説「カラスは黒い」では,「偶数」と「カラス」が,「赤い」と「黒い」が対応しています。ですから予測されるのは,「カラスが黒い」と「黒じゃない鳥は，カラスではない」ことです。調べるべきは,「カラス」と「黒くない鳥」です。仮にこの南国の島でさまざまな色のカラスが進化していたとすれば，黒い鳥だけを調べる作業はまったく意味がないことがわかるでしょう。

演繹的推論とのかかわり

４枚カード問題では，証拠や反証を明らかにするのに，少し思考のステップが必要でした。このステップこそが第２章で学んだ演繹的推論で，仮説検証ではこの推論がとても重要です。仮説から予測される証拠は，仮説から確実で間違いなく導かれるものでなければ証拠として役に立ちません。ですから，証拠を導く過程は，前提が正しければ結論が必ず正しい演繹的推論で結ばれなければなりません。これは本章３－２，３－３で取り上げた仮説すべてで言えることです。「カラスは黒い」仮説，「数字の並び」仮説，「ドアの外にいるのはお母さん」仮説では，証拠があまりに当たり前すぎると感じたかもしれません。ですがそれは，仮説が簡潔な場合，演繹的推論は仮説とほとんど同じことしか予測しないため，当然のことなのです。

仮説の検証は，演繹的推論により仮説から予測し証拠や反証を明らかにすることから始まります。これさえしっかりできれば，あとは証拠が出るか反証が出るかを観察するのみです。確かめるためのこの基本パターンは，多少複雑な仮説であっても変わりません。演繹的推論をしっかり使って，正しい証拠，正しい反証を予測し，仮説を確かめましょう。

■■■ コラム ■■■　カフェ＆バー Four Cards にて

裏路地にあるおしゃれなカフェ＆バー Four Cards は，ちょっと変わったお店。マスターは，表は白，裏には色が塗ってあるカードを準備していて，お客さんが入店すると身分証を確認し，20才以上の人には赤カードを，20才未満の人には赤以外の色のカードを渡します。飲み物の注文は，お客さんが白い面に飲みたいものを書いて頼むシステムです。マスターは，お客さんが何を注文しようと，カードの色が何色であろうと構わず，注文通りに飲み物を出します。また，置かれたカードの表裏などマスターは気にしません。

さて，現在お客さんは４人で，カードは次の通りでした。

ビール　青　赤　ミルク

赤色カード＝20才以上
赤色以外のカード＝20才未満

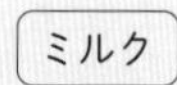

あなたは酒場取締官で，Four Cards が「お酒は20才から」ルールを守っているかを調べにきました。お店の色カード注文システムは知っています。あなたはどのカードを裏返して，ルールが守られているかどうかを確認しますか？

答えは簡単。「ビール」カードと「青」カードですね。「ビール」の裏が赤になっているか（20才以上か），「（赤じゃない）青」の人（20才未満）がお酒を飲んでいないかを確かめることで，Four Cards がルールを守っているか確認できます。

これはほとんどの人が間違えることはないと思われます。でも，「Four Cards 問題」は本編のオリジナル「４枚カード問題」と構造は同じです。４枚カード問題は「数が偶数であれば裏面の色は赤」で，Four Cards 問題では「飲み物がお酒であれば裏面の色は赤」です。数は「偶数か奇数か」のどちらかしかありません。飲み物は「お酒かノンアルコールか」のどちらかしかありません。ですから，２つの問題で装いは違いますが，考えなければならないことは同じです。

では，どうしてオリジナル４枚カード問題では間違えやすく，Four Cards 問題では間違えないのでしょう。これは心理学では有名な問題です。なぜこんなことが起きるのか知りたい人は，ぜひ心理学の教科書を調べてみてください。

3-4 “もっともらしい”ということ

仮説を確かめるプロセスを説明してきましたが，ここまで一度も「仮説が正しい」という言い方をしていないことに気づきましたか。仮説の「正しさ」について伝えるときは，意図的に「仮説がもっともらしい」，あるいは「仮説が確からしい」という言い方をしてきました。本書全体でも，けっして「仮説が正しい」というフレーズは出てきません（出てこないはずです）。なぜそんなことにこだわるのか，本章で学んだことを見直しながら説明しておきましょう。

「正しさ」への保留

みなさんは「正しい」と「もっともらしい，確からしい」という言葉にそれぞれどんなイメージを持っているでしょうか。多分，「もっともらしい，確からしい」には「正しいと思うんだけど，もしかしたら間違っているかも……」

という正しさへの「保留」感があるのではないでしょうか。

「科学的思考」では，すべての意見や主張を「仮の説明，仮説」と捉えるのでした。これは，世の中でほぼ間違いないと認められ，私たちが知識として共有している定説や法則でも同様です。科学的思考は，どれだけ証拠が挙がってその確からしさが増したとしても，もしかしたら間違っているかもしれないと「保留」します。それは，本章で見たように，どれだけ確からしい仮説も，1つでも反証があれば，その仮説が間違っていると言うしかないからです。まったく違う視点から見ることができれば，あるいは，画期的な観察方法が開発されれば，定説や法則の反証が観察されるかもしれません。それにより，仮説の修正が迫られるかもしれないと考え，「仮説が正しい」と言うことを「保留」するのです。だからこそ，科学的思考はこの「保留」感にぴったりな「もっともらしい，確からしい」という考え方をするのです。

ハッキリさせる＝根拠を示す

意見や主張をハッキリさせることが世の中では推奨されます。これと，「意見や主張はあくまで“もっともらしい”と保留する」ことは真逆のように感じるかもしれません。ですが，これらは実は同じことです。科学的思考においては，「意見や主張をハッキリさせる」とは「意見や主張がどのような根拠に基づくかハッキリさせる」ことです。主張や意見が「もしかしたら間違っているかもしれない」と考えるからこそ，「その根拠をハッキリさせる」のです。

日常語としての「もっともらしい」には，自分に対して使うと少し弱気な，相手に対して使うとちょっと否定的な言葉のイメージがあるかもしれません。しかし，科学的思考の中での「もっともらしい」という言葉には，「意見や主張には，それが人のモノであっても，自分のモノであっても，根拠をハッキリさせる」という積極的な意味が含まれているのです。

本章では，仮説を確かめるというプロセスを，具体例を用いて解説してきました。仮説を確かめる，検証するとは，まず仮説から予測を立て，証拠と反証を明らかにし，そのうえで，観察により正しい「証拠」や「反証」を集めることだ，ということが納得できたと思います。正しい証拠を集めることの大事さは，特に「４枚カード問題」がよく表していました。これは，第４章で取り上げる「文の言いかえ」とも深くかかわります。同じ問題を別の切り口から学ぶことで，「正しい証拠を明らかにする」ことの大事さをさらに理解できると思います。

■■■ コラム ■■■　**白いカラス？**

昔話にカラスが黒くなったわけを説明するものがあります。それによると，むかしカラスは真っ白でしたが，他の鳥にあこがれて体に色を塗ります。カラスはそれに満足しましたが，しばらくすると物足りなくなり，また違う色を塗ります。またしばらくすると物足りなくなり，またまた違う色を塗ります。最終的には真っ黒になってしまいましたとさ，というお話です。

カラスが黒いことを前提にしたお話ですが，じつは白っぽいカラスや，おなかの部分が白いカラスは実在します。カラスだけではなく「アルビノ」とよばれる，先天的なメラニンの欠乏により体毛や皮膚が白い動物は他にもいます。シロウサギやシロヘビが有名です。ちなみに，アルビノには目が赤いという特徴もあります。

第Ⅰ部まとめ
「消えた鳩サブレ」を探せ！

私は大学マジック部の部長。他の部員は３人。おっちょこちょいでお調子者のＡ，ちょっとだらしなくて食いしん坊のＢ，なんとも不器用で口数が少ないＣ。たった４人の小さな部だけど，日々みんなで楽しく真面目にマジックの技を磨いている。私たちのいちおしはハトを見せたり消したりする「ハトマジック」。

ある金曜の夕方，練習を終え，楽しみに取っておいた鳩サブレを手に取り一息つこうとして，時計を見ると，なんとバイトに間に合うギリギリの時間！慌ててＡに部室の後片付けを頼み，鳩サブレを机の上にほうり出して，急いで部室を飛び出した。

月曜日，部室に行くと３人が楽しそうに喋っている。机を見ると……私の鳩サブレがない！えっ？だれか私の楽しみを勝手に食べた？一瞬，いらだちを感じたが，ふと，ついさっき受けた授業を思い出す。「観察，気づき，仮説，検証のループが大事だよ……」。

そうか，ここはひとつ冷静になって実践してみよう。改めて３人をじっと見てみる。Ａの口に何やらお菓子の粉のようなものがついている。

私：Ａ，もしかして私の鳩サブレ食べた？
Ａ：え？鳩サブレ？食べてないよ。なんで？
私：だって，口のまわりにお菓子の粉がついてるから……。
Ａ：お菓子？あ，ほんとだ。これ，さっき，食べたクラッカーだな。ほら，これがその包み紙。
私：あら，ごめんなさい……。じゃあ，もしかして，Ｂ？お腹が空いて，つい……とか。

Ｂ：しらな〜い。食べてないよ。

私：じゃあ，まさか，Ｃ……。

Ｃ：……食べてない……。

誰も食べていない？そんなことある？嘘をついているのは誰？

Ａ，軽いノリで食べたことをごまかしてない？食べたのは本当にクラッカーだけ？　Ｂ，食いしん坊の君のこと，やはり鳩サブレに手を出したことを隠してない？　Ｃ，マジックが下手で私がいつもいろいろ言うから，軽い仕返しのつもりで食べてない？

やはり３人とも怪しい。誰も「食べた」証拠はないけれど，「食べていない」証拠もない……でも，これ以上，疑っても仕方がないか……誰も食べてないってことは，そもそも前提が間違っていたのかもしれないし……。

私：わかった。ないものはない，ということで。私が勘違いしたのかもしれないね。

部員たちの態度にがっかりしながらも，気を取り直しハトに餌をあげようと，カゴを開けた。すると，なんとそこに鳩サブレが。

私：えー!?カゴのなかに鳩サブレ！……なんで？

しばらくの間，部室に沈黙が続く……やがて，Ａが大声をあげた。

Ａ：あ〜っ!!思い出した!!週末に部室を片付けていたら，彼女から電話があって「家で大変なことが起きたの！とにかく今すぐ来て！」って。訳もわからず，こっちもびっくりして，大慌てで机の上のハトと鳩サブレをしまったんだ！ハトをカゴに入れて，鳩サブレは棚に……入れた……はずなんだけど……。

私：あら，大変だったのね……えっ？ええっ!?って，ことは……ハトは!?やばっ！

4人が恐る恐る棚を開けてみると……。

ハトは棚の中でお菓子をせっせと突っついていた。それはＢがいつでも食べられるように常備しているクッキーだった。

第Ⅱ部

みがく

スポーツであれ，音楽であれ，ちょっと実力がついてくると道具にこだわりがでてきませんか？　科学的思考も同じで，基礎が身につくとそれを支える道具のよしあしが気になりだします。ここでいう道具は言葉や数など普段は当たり前のように使っているものですが，きちんと扱わないと間違えたり誤解を生むことがあります。逆に，うまく使いこなすことでよい「仮説」を生み出したり，知識を正確に共有することに役立ちます。第Ⅱ部で，科学的思考の道具である「言葉」や「数字」「グラフ」「データ同士の相互関係」を学ぶと，科学的思考をしっかり支えることができるようになるはずです。

第 4 章

言葉のセンスを身につける

4－1　言葉による表現が大切
4－2　言葉が指す“もの”
4－3　つながりに注意しよう
4－4　上手に活用するための注意点
コラム　りんごはどうして落ちたのか？

オレオレ詐欺
プルルルル…
ガチャッ
もすもす？
あ～ばぁちゃんオレだよオレ
・・・・
おめぇ誰っしゃ？おらいの息子は「オレ」でねぐ「オラ」って言うでば
※うそばりかだってほでなすっこの!!
チッ
ばぁちゃんオレオレ詐欺撃退
※うそばかりついてバカモノ

4－1　言葉による表現が大切

第Ⅰ部では科学的思考の基礎を学びました。仮説を用いて観察したものの裏にあるしくみなどを推測することで，予測や検証が可能となり，最終的には他人と共有できる知識となる，ということでした。この思考方法とともに大事なのが，その道具となる言葉や数字です。

コミュニケーションの大部分は言葉で行われますので，正しく用いることが重要ですが，そうは言っても意外とあいまいなものです。他人と共有する場合はもちろんですが，自分で考えをまとめる際にも誤解のないような表現にすることが大切です。

仮説のループにおける言葉の利用

仮説のループにおいては，まずは仮説を立てるときに，言葉で正しく表すことが必要となります。第１章の数字の例では，ちょっとまわりくどいのではないかと思うほど厳密に表現しました。これによって，他の仮説と区別して予測することができ，検証につながったのです。

観察したものを正確に表現する，というのは意外と難しいもので，万人に通じるような表現を突き詰めることで本質に到達することが可能となります。「星が東から西に動く」，といってしまうと天動説そのものですが，「星が東から西に動いて見える」，というと相対的に自分が動いている（つまり地動説）という別の考え方も出てくることになります（本章末のコラムも参照）。

その後，仮説が検証にたえ，知識として共有される際には，当然のことながら自分以外の人にも正確に伝わる表現をしなくてはいけません。科学的思考の目的は，筋道を立てて考えて判断することであり，根拠や理由を人にも説明できることでしたね。

人に正確に伝えることは，科学の世界ではもちろん厳密に要求され，法則は数式の形で表されることが多いです。言葉の厳密さの問題は，科学の現場に限られたものではなく，日常の生活にも関わってくる問題です。では，どのようなことに注意すべきでしょうか。

その言葉は何を指す？

同じ言葉でもお互いにイメージするものが違う場合があります。例えば「車」と言えば多くの人は自動車をイメージすると思いますが，おもちゃの車や手押し車など，「車」の指す範囲も意外と広いものです。明日車を貸して，と言われてミニカーを持って行って怒られる，とまでひどい例はそうそうないと思いますが，言葉の行き違いで失敗した例などは誰にでもあるでしょう。

その言い換えは大丈夫？

何かを説明する時に，別の言葉で言い換えることで理解しやすくなることがあります。しかし，このとき同じことについて別の言い方をしているつもりでも，意味が変わってしまうこともあります。「逆に言うと」，は言い換えでよく使われる言葉ですが，逆に言うことでかえって間違えてしまう危険があります。「インスタントラーメンを食べすぎると太る。逆に言うと，太っている人はインスタントラーメンを食べ過ぎているのだ」。この文章を読んでどのように感じるでしょうか。何か変な気がしませんか？　その違和感はどこから来るのかを考えるのが本章です。

科学的思考のためには，仮説と同様にこの**言葉の役割**についても意識する必要があります。そこでこの章では，言葉について注意すべき点を見ていきます。

4-2　言葉が指す“もの”

言葉を使う場合の注意

4-1の例のように，「車」と聞いた時に何を想像するかは人それぞれです。自動車をイメージしたとしても，それはスポーツカーなのか軽自動車なのか，あるいは消防車や救急車のような特殊な車なのか，場合によっては厳密に表現しないと伝わらないこともあります。「高速道路で走っていて車に追いかけられた」と聞くと事故につながる危険な状況のように聞こえますが，この車がパトカーだったとするとまるで違う話になります。

これは序章に出てきたように，人間がだまされやすいことの一例とも言えるでしょう。別の見方をすると，仮説と同じように，人は無意識に言葉の裏にあるものを想像している，とも言えます。したがって，正しく理解するには言葉の意味を限定することが重要なのです。

この「意味を限定する」とは，つまり「言葉」とその言葉が指す「もの」を結びつける作業ですが，この時，次のようなことに気をつけないといけません。

- 同じ言葉でも使われる場面や人によって違うものを指す。
- 同じものでも言葉がかわると違うものととらえる。
- 言葉に含まれない部分も含めて想像してしまう。

どのようなことか具体的に見ていきましょう。

同じ言葉で違うもの

例えば,「すいせい」と言ったときに彗星なのか水星なのかは，同じ宇宙の話題で出てくる言葉なのでとてもまぎらわしいですね。似たものを指す場合にはなかなか区別ができません。このような同音異義語ばかりではなく，先の「車」のように，文字が共通でも指すものが違う例もあることに注意しましょう。「紙とって」と言われて差し出すのがコピー用紙かトイレ用の紙か，あるいはたぬきそばは地方によって揚げ玉か油揚げかなど，年齢や住んでいる場所によって違うこともあります。

同じものでも言葉により認識が違う

逆に同じものを指す場合でも言葉が違うと印象が異なる場合もあります。「じゃがいも」と呼ぶと調理前のものを，「ポテト」と呼ぶとフライやサラダなど加工したものを想像する方が多いのではないでしょうか。さらに「馬鈴薯」はどうでしょう。この場合は言葉の違いにより使われる場面も切り分けられているため混乱が少なくてすみますが，以下のような例もあります。

DHMO と呼ばれる化学物質は，次のような性質を示します。

- DHMO を誤って吸入すると少量でも死亡する。
- 人体を固体の DHMO に長時間さらすと，体内組織がひどい損傷を起こす。
- 気体の DHMO は重症のやけどを引き起こす。
- DHMO は酸性雨の主成分である。
- DHMO は多くの金属の腐食や酸化を招く。
- DHMO が電気系統に入り込むと漏電の原因になる。
- DHMO は自動車ブレーキの利きを悪くする。
- 前がん病変や腫瘍を生検すると DHMO が見つかる。
- DHMO の温度変化がエルニーニョ現象の一因ではないかと考えられている。

（日本語訳は『「悪意の情報」を見破る方法』（飛鳥新社，2012年）より）

いかがでしょうか。DHMO という物質は大変危険な物質である，という気がしませんか。でもその感覚は正しいでしょうか？

実はこの DHMO とは DiHydrogen MonOxide の略で，その意味するところは一酸化二水素，つまり H_2O，水です。あらためて前の記述を読み返してみると，水の性質に関する当たり前のことばかりが書かれていることに気づきます

（固体の水とは零度以下の氷であり，気体の水は高温の水蒸気です）。

これに似た例が，学術用語です。栄養豊富なサプリメントなどとして売られている「ユーグレナ」は「ミドリムシ」のことです。ユーグレナの方が健康に効果がある新しい食品のような印象を受けるのではないでしょうか。また，「麦粒腫」と言われるとなんだか恐ろしい病気のように聞こえますが，「ものもらい」や「めばちこ」などと言うとたいしたことない気がしてきます。

少し意味合いは変わりますが，「マイナスイオン」という言葉は，専門的な用語に聞こえますが，実際には学術的に決められた言葉ではありません。語感から受ける印象を商品の宣伝等に使っている例だと言えるでしょう。このような場合は，特に言葉や文章の意味するものはなんなのか，注意する必要があります。最近よく見かける「水素水」も，人体に対する影響は明らかになっていませんので，同様の効果を狙ったものと言えるでしょう。

言葉に含まれない部分のイメージ

もともとの言葉に含まれない意味を聞き手が勝手に加えてしまうこともあります。例えば，「大学生」と聞くと20歳前後の若者を想像するのではないでしょうか。もちろん，大多数の大学生はそのイメージ通りですが，もともとの言葉の意味は，大学に在籍中の人を指すだけで年齢についての情報は含まれていません。

私たちは，話を聞いたり本を読んだりするとき，実際の状況を想像するものですが，その際に言葉に含まれていない部分まで考えてしまうのです。これは多くの場合無意識に行われるため特に注意が必要です。「消防署の方から来ました」，「オレだよ，オレ」などの言葉が詐欺に使われるのは，この想像力を悪用したものです。「消防署の方から」は文字通りに受け取ると単なる方角を指しているだけですが，「消防署から」を丁寧に言った言葉だと考えてしまうのでしょう。また，会話のときに一人称で「オレ」を使う人はいくらでもいますが，年長者である自分に向かって「オレ」と名乗る若者は孫くらいだ，と電話の相手を思い込んでだまされてしまいます。もっとも，いちいち電話で「私はあなたの孫であるところの○○○○です」などと名乗るのも面倒なので悩ましいところです。

会話や文章の中の「言葉」からその「指すもの」を正しく把握することはいざ意識してみると簡単なことではありません。けれども難しいからといって，避けてはいけません。無意識のままでは間違えたりだまされたりといった危険性があるからです。より具体的に，日常で特に注意すべき場面を紹介します。

特に注意すべき日常の例

カタカナ語　カタカナは外来語を示す時によく使われますが，その意味があいまいなまま使ってしまうこともあるので注意しましょう。すでにマイナスイオンの例を挙げましたが，いくらでも思い当たる言葉が出てくるでしょう。特に新しい考え方をカタカナ語で表す場合，日本語に訳すことが難しいこともあります。アジェンダ，コミット，リテラシーなど，なんとなく雰囲気で捉えて使うと書き手と読み手の認識がずれてしまう危険性があります。

ただし，共通の認識がある場合には，特定の対象を表す便利な言葉でもあるので，うまく活用しましょう。

似ているけど違う言葉　「安全」と「安心」のように似た言葉でも意味が異なる場合は特に意識しましょう。それぞれの対義語は「危険」と「心配」です。つまり，「安全」は危険がない状態を指す客観的な表現であるのに対し，「安心」は心配がないこと，つまり心情的な表現です。通常の場合は安全であれば安心することができますが，安全だけど安心できない，とか安全ではないけど安心できる，ということもあり得るのです。展望台で足元が透明のガラスだと，いくら安全だとわかっていても不安になったりします。また逆に，災害がせまっていても家にいれば大丈夫，と思ってしまうこともあるでしょう。「安全」と「安心」の問題は，食料品や放射線，病気など，いろいろなところでみることができます。

利害が絡む場合　利害が絡む場合は，特に言葉のあいまいさに注意が必要です。言葉を発信する側は印象の良い言葉づかいを選択しますので，額面通りに受け取るのは危険な場合があります。軽いところでは人物の紹介で「消極的」を「奥ゆかしい」と言い換える程度のものもあり，これなどは生活の知恵ともいえますが，虚偽・誇大広告になりかねないようなものもあります。

たとえば，就活でもらう会社情報に，「コンサルティング営業」と書いてあったとしましょう。なんだかとてもかっこよく見えます。しかし，営業職はいずれにせよ相談を受けて顧客の要望に応える商品の提供をするのが仕事ですから，これは通常の営業業務を良いイメージに見せかけている表現ということです。

テレビコマーシャルや新聞広告などは，最初から商品の宣伝のために良いイメージを与えるよう作られていることが明白ですが，もしそれが新聞記事やテレビ番組の一部のような作りになっていたとしたら，実際以上に客観的なものに見えてしまうかもしれません。コマーシャルを見る際は，あくまで広告であるということを意識するようにしましょう。

また，コマーシャル等では，言葉に含まれない部分についても注意するようにしましょう。ある会社は「吸引力が変わらない」という売り文句で掃除機を紹介しています。国民生活センターの調査によると，吸引力が変わらないのは正しいのですが，どれだけの量を吸い込むかを表す吸込仕事率という指標では，他社の掃除機よりはるかに低いという結果が得られています。元の表現には含まれない吸引力の強さを勝手に補って，他の掃除機より強いあるいは同等の強さのまま「変わらない」と考えると間違った理解となるかもしれません（実際には，吸込仕事率だけではなくヘッドの形状なども影響してゴミを吸う力が決まるので，吸引力が弱いとも限りません）。

正しく理解し，正しく伝えるために

「言葉」が物事のごく一部を指し示す記号である以上，常に正しい理解に到達できるとは限りません。ですから，できるだけ誤解のないよう努力することが大切です。文章を読む場合など受け手の立場のときは，言葉に含まれている部分と自分で補って考えている部分を，しっかりと区別する習慣を身につけましょう。また，自分が言葉を発信する際には，言葉のあいまいさを意識し，定義が明確な表現を使うよう心がけましょう。さらに，表現に含まれない部分は受け手が自由に想像してしまう余地を残すことになりますので，必要なことはもれなく言いつくすことも意識しましょう。

4－3　つながりに注意しよう

言葉が文章となった場合の注意

4－2では，言葉と実体が違って理解されてしまう，あるいは理解してしまう危険性について学びました。多くの場合，ある単語に対してさまざまな意味が考えられるので注意が必要，ということでした。

単語がいくつかつながった文章の場合は，さらに注意が必要です。例えば，次のような会話を交わしたことはないでしょうか。

Ｘ：カップラーメンばかり食べていると太るよ。
Ｙ：じゃあ，カップラーメンを食べるのをがまんして，太らないようにしよう！

一見正しいように見えますね。実際，バランスよく食事をとることは大切ですが，ここで注意したいのはＸさんの主張に対してＹさんが導いた結論が論理的に正しいか，ということです。もっとわかりやすい例をみてみましょう。

Ｘ：ペンギンは鳥だね。

Ｙ：じゃあ，ペンギンじゃなかったら鳥ではないんだね。

いかがでしょうか。これは明らかにおかしいと感じるのではないでしょうか。ペンギン以外にもたくさんの種類の鳥がいます。フラミンゴやスズメの立場がありません。

裏返したり逆にしたり

実はこの２つの例は，同じ構造の言い換えになっています。

Ｘ：ＡならばＢである　$(A \Rightarrow B)$
Ｙ：ＡでないならばＢでない　$(\overline{A} \Rightarrow \overline{B})$

という構造です。どちらも前半の前提を受けて後半の結論を導き出しています。カップラーメンの例ではそれぞれ「カップラーメンばかり食べる」と，それを否定した「カップラーメンを食べない」が前提で，「太る」と，それを否定した「太らない」が結論です。同じことがペンギンの例でも言えます。

このような形の言い換えを**裏**と呼びます。それぞれを否定して裏返している，というイメージで捉えるとよいでしょう。最初の「ＡならばＢである」が正しかったとしても，この裏の言い換えは正しいとは限りません。カップラーメンの例で言えば，カップラーメンを食べるのをやめたとしてもハンバーガーばかり食べていたり，そもそも食べすぎていた場合にはやっぱり太るでしょう。

似たような言い換えに**逆**があります。これは

Ｘ：ＡならばＢである　$(A \Rightarrow B)$

に対して

Y：BならばAである　（B⇒A）

という言い換えです。この場合は言い換えた場合の正しさはどうなるでしょうか。

X：カップラーメンばかり食べていると太るよ。
Y：じゃあ，太っている人はカップラーメンばかり食べているんだね。

X：ペンギンは鳥だね。
Y：じゃあ，鳥だったらペンギンなんだね。

というのが「逆」の言い換えです。どちらも正しいとは思えませんね。逆の言い換えも裏と同様，正しいとは限りません。まさに「逆は必ずしも真ならず」です。

裏返してさらに逆にする

ここまでは，言い換えても正しいとは限らない事例ばかりでした。注意すべきではありますが，そもそもあまり言い換える意味がないように思えます。そこで最後に，もう1つの言い換えを紹介します。**対偶**と呼ばれるものです。これは，「逆の裏」，あるいは「裏の逆」を指します。すなわち，

X：AならばBである　（A⇒B）

に対して

Y：BでないならばAでない　（$\overline{B}$⇒$\overline{A}$）

となります。この場合はどうでしょうか。

X：カップラーメンばかり食べていると太るよ。
Y：じゃあ，太っていない人はカップラーメンばかり食べていないんだ。

や，

X：ペンギンは鳥だね。
Y：じゃあ，鳥でないならペンギンではないんだね。

と言い換えられます。いかがでしょうか。

実はこの場合は，Xの言うことが正しければ必ずYの解釈も正しいと言えます。対偶は，最初の主張が正しい場合には言い換えたものも常に正しいと論理的に確かめることができるのです。

ただし，ここで注意が必要です。カップラーメンの例に多少違和感があるかもしれません。太ってなくてもカップラーメンばかり食べている人がいますよね。この場合は最初のXの主張「カップラーメンばかり食べていると太るよ」が常に正しいとは限らない，ということになります。言い換えではなく，そもそもの主張が正しいかわからないための違和感でしょう。このように，元の主張が正しくない場合にはもちろん対偶も正しくはありません。

また，元の主張が正しかった場合に「逆」や「裏」が正しいとは限りませんが，かと言って間違っているとも限らないことにも気をつけましょう。わかりやすいのは1対1の関係にあるときです。「マンガの神様」と呼ばれるのが手塚治虫さん1人であれば，「手塚治虫はマンガの神様だ」を逆にした「マンガの神様は手塚治虫だ」も正しいことになります。

言い換えを図でみる

ここまで説明してきた逆，裏，対偶の関係を図4-1にまとめました。「ペン

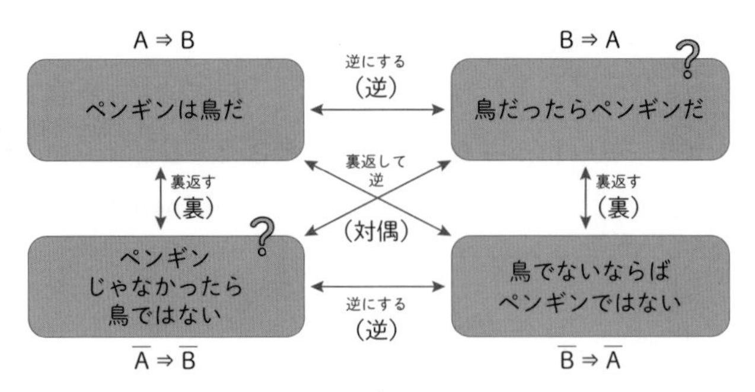

図4－1　逆，裏，対偶の関係

ギンは鳥だ」という表現を例に示しました。「ペンギンは鳥だ」をＡならばＢ（Ａ⇒Ｂ）としたとき，その逆の裏，あるいは裏の逆がＢでないならばＡでない（$\overline{B} \Rightarrow \overline{A}$），すなわち「鳥でないならばペンギンではない」となります。これが対偶です。また，別の対角にある「鳥だったらペンギンだ」（Ｂ⇒Ａ）と「ペンギンじゃなかったら鳥ではない」（$\overline{A} \Rightarrow \overline{B}$），も対偶の関係にあります。したがって，ＢならばＡが正しい場合はその対偶であるＡでないならばＢでない，も正しいと言えますが，鳥だったらペンギンだ，は必ずしも正しくはないためこの例では対偶も正しいとは言えません。逆，裏，対偶についてはいろいろな例を自分でも試してみて，しっかり理解しましょう。

逆，裏，対偶の関係をさらに直感的に理解しようとすると図４－２のように表すことができます。「Ａである」領域と「Ｂである」領域をまず考えます。「ＡならばＢである」が（常に）正しいとは，Ａの領域はＢの領域にすっかり含まれることを意味します（図４－２上）。この時「Ａでない」領域と「Ｂでない」領域を比べてみましょう（図４－２下）。Ａでない領域はＡの領域を除いた残りの部分です。同様にＢでない領域を見ると，どちらがどちらを含むでしょうか。「Ａでない」領域が「Ｂでない」領域をすっかり含んでいることがわかります。つまり「Ｂでない」ならば「Ａでない」が常に成り立ちます。これが，対偶は元の表現と同じ意味であることを示しています。

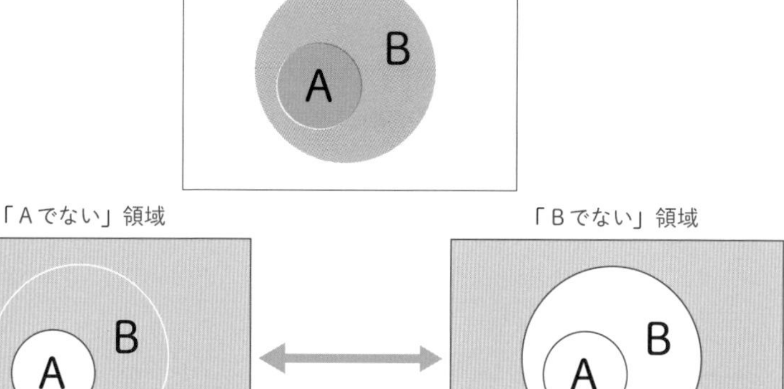

図４－２　上：AならばBである（A⇒B），下：Aでない領域（$\overline{A}$）とBでない領域（$\overline{B}$）

言い換えの効用と注意

言い換えのいろいろな例を考えてみましょう。「昆虫は６本脚である」の逆，裏，対偶はどうなるでしょうか。逆の「６本脚ならば昆虫である」，裏の「昆虫でなければ６本脚ではない」は正しくないことがわかりますね。６本脚のテーブルなども世の中には存在します。では，対偶はどうでしょう。「６本脚でなければ昆虫ではない」ですね。これは正しいので，クモやムカデは昆虫ではない，ということがわかります。このように，言い換えから理解が進むこともあります。

また，言い換えにより主張の正しさを確かめることもできます。「牛乳を飲まないと背が伸びない」はなんとなく正しいような気がしますが，対偶の「背が伸びたのは牛乳を飲んだからだ」と考えると変な気がします。牛乳を飲まなくても背が伸びることはありますね。この場合は，元の主張よりも，裏の「牛乳を飲むと背が伸びる」の方が真実に近いのかもしれません。

逆や裏は，**正しいとは限らない**という言葉で表現していますが，図でみるとこれはどういう意味でしょうか。図４－２をもう一度みて考えると，“B”に含まれるけど“A”に含まれない，あるいは“Aでない”に含まれるけど“Bでない”に含まれない箇所があることがわかります。このＡとＢの領域の違う部分が逆や裏が成り立たない例であり，この存在が，逆や裏が常に正しいとは限らない理由です。

この領域の大きさによって，逆や裏がほとんど成り立つ場合もあれば，ほぼ成り立たない場合もあります。一方で，ＡとＢが完全に一致する場合には逆や裏も正しいことになります。言い換えが出てきたときには，必ずしも正しくはないだろう，という前提で構えてください。仮に「信用できる人は身なりもいい」が正しいとしても，「身なりがよければ信用できる」は正しいとは限りません。詐欺師が人をだまそうとする時には服装や仕草に気を遣うことでしょう。それにだまされてはいけません。同じように，「タバコを吸えば不健康になる」としても「タバコをやめれば健康になる」とも言えませんし，「景気が良ければ株価が上がる」からといって「株価が上がれば景気が良い」とは言えないかもしれません。さまざまな言い換えをして，逆や裏が正しくない可能性を確かめてみましょう。

4－4　上手に活用するための注意点

この章では，言葉で表現する際の注意を見てきました。科学的に考える上では言葉のあいまいさにまず注意すべきですが，言い換えなどを上手に使うことで考えをより明確にできるといった側面もあります。どのようなことに注意すれば，上手に活用できるでしょうか。具体例をもとにおさらいしてみましょう。

知識を共有するために

科学的思考により筋道立てて考え，根拠や理由を人にも説明するために重要なのが，言葉の指すものを意識することでした。まず，科学的思考のループの始まりとなる「観察」では，できるだけ客観的に表現することが重要です。たびたび出てくる挨拶の場面を例に考えてみましょう。

単に「友達の挨拶がいつもと違っていた」と表現した場合，人に伝わる情報はとても少なくなってしまいます。友達とは誰か，いつもはどんな様子なのか，どのように違っていたか，など自分ではわかっていても，他の人に伝えるにはこの表現では足りません。観察した出来事の全てを伝えることはもちろん不可能ですが，必要な情報が全て含まれているかを見直すように心がけましょう。「今朝，友達のＡ君と通学途中に挨拶した時，いつもより元気がなかった」とすると，重要なポイントはほぼ含まれているでしょう。言葉でしっかり表現することによって自分の認識を明確にすることができます。

その次のステップで仮説を立てる際には，見えない部分を説明することになります。そのため仮説は他人に伝わるものでなくてはいけません。第１章で，1，2，3の次に4が来る理由を「当然」で済ませたのでは何も説明したことにはならないと述べましたが，これは他人に伝わる表現ではないためです。

引き続き挨拶の例で仮説を立ててみましょう。まず観察から「何か気がかりなことがあるのではないだろうか」と考えました。しかしこれではまだ漠然としています。「宿題を忘れてしまってそれが気になっているのではないだろうか」，などとすると明確でしょう。ほかにも「寝坊をして朝食を取れなかったのでは」など，いろいろな可能性を考えましょう。

こうして立てた仮説は，検証を経て最終的に知識として蓄えられます。仮説が明確に，誰にでも伝わる表現となっているほど，知識として蓄えたときに利用しやすくなります。

言い換えを利用して確かめる

仮説の検証の際には，論理の言い換えが重要な役割を果たすことがあります。対偶は元の文章と真偽が等しい言い換えなので，仮説に対して対偶の言い換えをして検証しても良いのです。例えば，「身長が170cm未満だとNBAの選手になれない」という仮説を立てたとしましょう。これを検証する場合，身長170cm未満の人を集めてその中にNBA選手がいるかどうか確認することは現実的ではありません。対偶の言い換えをすると「NBAの選手であれば身長が170cm以上である」となります。この言い換えであれば，NBAの選手のリストをもとに身長を調べ，1人でも170cm未満の人を見つければ反証を得たことになります（過去には身長160cmの選手もいました）。

実は，第3章の検証で出てきた例の中には，この対偶の言い換えを使っているものもあります。「カラスは黒い」の検証として，黒くないカラスが1羽でもいれば，これが反証となり仮説が成り立たない，というものがありました。これは，「カラスは黒い」の対偶である「黒くないもの（鳥）はカラスではない」という仮説を検証し，その反証を得たものと考えると理解しやすいでしょう。

また，「オオカミと七匹の子ヤギ」の例では，「お母さんヤギは声がきれい」「お母さんヤギは白い足」の逆である「声がきれいならお母さんヤギ」「白い足ならお母さんヤギ」が成り立つものと考えてしまったために間違えた，と考えることもできます。

4枚カード問題やその他の例も，対偶を考えるとわかりやすいものがあるので，もう一度振り返ってみてください。

言葉より明確なもの

科学的思考では，言葉を使う上で注意すべきこと，言い換えを活用するとよいということをまとめました。この章の冒頭で述べたように，言葉はあいまいなものであることを意識し，できるだけ誤解の少ない表現を心がけましょう。

ただ，言葉を用いている以上は実体を完全に表すことはできず，また意味をはっきり限定することも難しいため，完全な共通理解に到達するのは困難です。意味を限定し，あいまいさを排除するには，数字や数式で表現せざるをえません。これが科学の分野で数学が用いられる理由です。

ただし，数字を用いたとしても誤解がまったくなくなるとはいえません。次の章では数字に関する注意を学びましょう。

■■■ コラム ■■■　　りんごはどうして落ちたのか？

ニュートンはりんごが木から落ちるのを見て万有引力を思いついた，という逸話が残っています。仮説を言葉で表す，という点から考えるとこれはどのような意味があるのでしょうか。

ニュートンはおそらく，りんごが落ちた，というひとつのできごと（観察）をどのように表現するか深く考えたのではないでしょうか。「落ちる」とは何か→下に向かって動くことだとすると，「下」とは何か→地球の裏側ではどうなるのか，など。このように考えると，「地球の中心に向かってりんごが引きつけられている」と表現するのが良さそうです。そこでさらに，なぜ地球がりんごを引きつけるのか考えていくうちに，「お互いに引き合っている」，という考え方に行きつき，地球とりんごに限らず地球と月，太陽と惑星，など全てのものに働く力がある，という発見に到達したのではないでしょうか。りんごが木から離れたら下に落ちるのは当たり前だ，と思ってしまうとこの発見には到達できません。

この逸話が事実かどうかは諸説あるようですが，万有引力という偉大な発見にどのようにたどり着いたか考えるうえで，意外性がありながらわかりやすい例であるのは確かです。身の回りの出来事をよく観察し，誰もが誤解しない表現にしようとすることで気づきを深めていく重要さが表れています。ちなみに，ニュートンのりんごの木は接ぎ木で増やされていて，日本の小石川植物園でも見ることができます。

第 5 章

数字のセンスを身につける

5－1　数字で比較する習慣をつける
5－2　比較のための道具“4分表”
5－3　比率や割合に要注意
5－4　比べるセンスを大切にしよう
コラム　割引とポイント還元

セール
SALE
お！50%オフ!!
半額だっちゃー
SALE
レジにてさらに50%オフ
SALE
50%オフと50%オフ…
つまりは…タダ!?
違うっちゃー

5－1　数字で比較する習慣をつける

日常生活のさまざまな場面で数字は重要な役割を果たします。特に，２つまたはそれ以上のモノやコトを比較して何か判断をしようとするときや，誰かに正確に自分の判断を伝えたいときに，とても役に立ちます。

みなさんは美味しいレストランをどうやって探しますか？　多くの人はインターネットで検索して，自分好みのレストランを見つけようとするでしょう。便利な情報サイトがたくさんあるので，多くの情報をもとにレストランを決めることができます。さて，ここに２つのタイプの口コミ情報サイトがあります。みなさんは，めしログＡとめしログＢのどちらを利用してお店を選びますか？

めしログＡ

いろはレストラン

- とてもおいしかったです。仙台にきたらここで食べなきゃ損！
- 大好きなのでしょっちゅう来ています。
- ○○が絶品。ただ△△は好みが分かれると思います。

ドレミレストラン

- ここの□□が一番のおすすめです。
- あまり高くなく，おいしいものが食べられます。
- 家の近くにあったら，毎日でも通いたいくらいです。

ＸＹＺレストラン

- 値段の割にはおいしいと思います。
- よく来るけど，いつ来ても満足して帰れます。
- 評価が高いので来てみたけど，ちょっとがっかりでした。

めしログB

いろはレストラン　評価 3.68（38人）

- とてもおいしかったです。仙台にきたらここで食べなきゃ損！
- 大好きなのでしょっちゅう来ています。
- ○○が絶品。ただ△△は好みが分かれると思います。

ドレミレストラン　評価 3.40（47人）

- ここの□□が一番のおすすめです。
- あまり高くなく，おいしいものが食べられます。
- 家の近くにあったら，毎日でも通いたいくらいです。

ＸＹＺレストラン　評価 3.26（27人）

- 値段の割にはおいしいと思います。
- よく来るけど，いつ来ても満足して帰れます。
- 評価が高いので来てみたけど，ちょっとがっかりでした。

おそらくめしログＢを選ぶ人のほうが多いのではないかと思います。なぜめしログＡよりもめしログＢなのでしょうか。

それは情報が数値化されているからでしょう。めしログＡは言葉だけでレストランの情報を伝えようとしています。めしログＢは言葉による情報に加えて，投稿者の評価が数字で示されています。外食をする時には，大抵，多くの選択肢の中からレストランを選んでいます。しかし，訪れたことのないレストランの中から最良の１つを選び出し最終的に決定を下すのはけっこう苦労します。言葉による評価をいくら読んでも，それを比較し適切な判断を下すのは容易なことではありません。しかし，評価が数値化されていれば，その大小を比較することで判断は容易になります。

ものに対する個人の価値判断も，しばしば比較によって行われています。ものを買うときによく口にする「高い」「安い」という言葉も，意識していないかもしれませんが，やはり何かと比較して使う表現です。

例えば，学食で定食が１万円だと聞いたら「高い！」と誰もが感じますよね。

どうしてそう思うのでしょうか。「他の定食は600円以下だよ！」「今まで定食で１万円なんて見たことないよ！」，「学食のメニューで１万円ってないでしょう！」といったところが理由でしょうか。どれも，今まで出会った定食，学食の値段と比べていませんか？　このように，意識的にせよ，無意識にせよ，何か比較するものがあって初めて「高い，安い」という表現が使えるのです。

今，あなたの財布の中に1,000円札が１枚入っているとしましょう。この事実を「1,000円もある」ととらえるか，「1,000円しかない」ととらえるか。“人生を幸福に生きるためには”という観点からよく引き合いに出される例ですが，これを科学的思考の観点で考えてみましょう。

まず，単純に1,000円札があることを伝える表現は「1,000円がある」ですね。次に「1,000円も」か「1,000円しか」か，どちらととらえるかは，基準とする何か，つまり比較する対象があって初めて使い分けができます。１円もお金がないと予測して財布を開けると，０円と比べ「1,000円もある」となり，常に10万円は持ち歩いている人がふと財布を開けたら，10万円と比べ「1,000円しかない」となります（ということは，会話の中の「も」や「しか」の表現の使い分けに焦点を当ててみると，話し手の価値基準や比較対象が見えちゃうわけですね）。

比較対象が変わると，当然のことながら私たちの判断も変わります。私たちはこんな経験もしているはずです。あるシャツが１万5,000円で売られていたとしましょう。この金額を見ただけだと「ちょっと高いな」と思う人が多いのではないでしょうか（もちろん，品質を十分理解して「妥当な金額」と思う人もいるかもしれませんね）。「ちょっと高いな」という思いは，おそらくふだんシャツを買うときに支払っている金額と比較した結果なのでしょう。では，もしこの１万5,000円のシャツに「定価５万円」の値札がついていたらどうでしょう？今度は「安い！」と思う人のほうが多いのではないでしょうか。同じ１万5,000円という価格の商品に「高い」と「安い」２つの異なる判断が下されました。この「安い」という判断の裏には，おそらく値札に書かれた定価５万円と比較し「本来は５万円の価値があるものなのに，それを３分の１以下の値段で手に入れられる！」という思いがあるのでしょう。

このように，数があれば比較したくなるものです。次の節では，数値を比較することの意義についてもう少し詳しく見ていきましょう。

5－2　比較のための道具“4分表”

そこだけ見ていて大丈夫？

まずは具体例をみてみましょう。

部活もアルバイトもやめたせいか，最近，A君の体重が増えてきました。ダイエットしなくては，と思ったA君は，食事で食べる白米の量を少し減らすことにしました。

ある日，ネットで調べ物をしていたA君は，とあるサイトの広告に目を奪われました。そのサイトには大きく「今，話題のダイエットサプリX！その成功率は驚きの90%！」と出ています。「90%か，なかなかの成功率だな。これ，買ってみようかな」。A君はぽつりとつぶやき，ポチっとダイエットサプリXを購入しました。果たしてA君はダイエットに成功するでしょうか……？

A君が見ていたサイトの広告にはさらに次のような説明が書かれていました。

炭水化物を減らしている人におすすめのダイエットサプリX。
100人中90人が体重を減らすことに成功！

確かに成功率は90%のようです。では，この広告から，ダイエットサプリXは本当に減量に有効だといえるでしょうか。これを見て，もし何か疑問がわいてきているとしたら，みなさんの中で科学的思考が働いているのかもしれません。広告に書いてあることを表にまとめて分かりやすくしてみましょう。

表５－１　Ｘ服用者の体重の増減

	ダイエットサプリＸを飲んだ
減った	90人
減らなかった	10人

このように表５－１を作ってみると，ダイエットサプリＸを飲んだ人のデータだけをみているところがちょっと気になります。「じゃあ，ダイエットサプリＸを飲まなかったらどうなのかな？」と問いたくなりませんか。仮にＸを飲まなかった100人からも体重の増減のデータを集めることができたとして，表５－２のような結果が得られたとします。さて，Ｘは有効であるといえるでしょうか？

表５－２　Ｘ服用者と非服用者の体重の増減

	飲んだ	飲まなかった
減った	90人	90人
減らなかった	10人	10人

これでは「ダイエットサプリＸは減量に有効である」と結論づけることはできません。Ｘを飲んだ人たちと飲まなかった人たちの間に差が見られないからです。では，表５－３のような結果が得られたとしたら，どうでしょうか？

表５－３　Ｘ服用者と非服用者の体重の増減

	飲んだ	飲まなかった
減った	90人	10人
減らなかった	10人	90人

これならダイエットサプリＸには減量効果がある，と言ってもよさそうです。

次に，サイト広告の一部を変えたものを見ていきましょう。

> 炭水化物を減らしている人におすすめのダイエットサプリX。
> 試した人の4人に1人が体重を減らすことに成功！

この場合，100人に換算すると25人の体重が減ったことになります。これも表にしてみましょう（表5－4）。

表5－4　X服用者の体重の増減

	ダイエットサプリXを飲んだ
減った	25人
減らなかった	75人

これだけをみるとダイエットサプリXはあまり効果がないような印象を受けます。でも，飲まなかった人のデータを含めて表5－5のような表が出てきたら，みなさんはどのように判断するでしょうか。

表5－5　X服用者と非服用者の体重の増減

	飲んだ	飲まなかった
減った	25人	5人
減らなかった	75人	95人

ダイエットサプリXが劇的な効果をもつとは言えないまでも，それなりに有効であると判断できそうです。もし，これがダイエット用サプリメントのことではなく，治療法が確立していない深刻な病気に対する薬のことであれば，わたしたちはサプリメント以上にその有効性を認めたくなることでしょう。

4分表とは

大切なのは，**対象としているものごとの有効性を論じるためには，それがなかった場合のデータと比較する必要がある**，という点です。比較することで初めて効果の有無が議論できるようになるのです。表5－2，表5－3，表5－5に示した2×2の表を**4分表**といいます。4分表はとても簡単なものですが，比較が必要な問題の整理や判断のための道具としてたいへん有用です。４分表に慣れるために，ここで少しだけ練習してみましょう。

とある温泉で湯治（温泉に入って病気やケガを治すこと）をした腰痛持ちの患者1,000人のうち999人が治癒した，との報告があります。この温泉での湯治は腰痛の治癒に有効といえるでしょうか？

さて，表にまとめたら，その表をじっくり眺めてみましょう。次にどんなデータが欲しくなりますか？

合格者の２人に１人はＱ予備校

ダイエットサプリＸの例で最初に表５－１で示されていたのは，このサプリを飲んだ人のデータだけでした。これでは４分表の半分しか埋められず，サプリの効果についてきちんと評価することができませんでした。ここでは，同じように４分表が半分しか埋められない別の例についてみていきましょう。

Ｐ大学合格者の２人に１人はＱ予備校！

予備校や塾が，よくこうした宣伝文句を使っているのを見かけます。Ｑ予備校はＰ大学に合格させる力がとても強いような印象を受ける文言です。もしかすると，Ｑ予備校に行くと２分の１の確率でＰ大学に合格できるのでは？　と思う人もいるかもしれません。でもそれで本当によいでしょうか。４分表を使って，この広告の持つ意味を確認してみましょう。

まずは，仮にＰ大学の合格者を200人として，「合格者の２人に１人はＱ予備校」の４分表を作ってみます（表５－６）。

表5-6　P大学の合格者

	Q予備校生	それ以外
P大学の合格者	100人	100人

4分表をつくろうとすると，データが不足していることがわかりますね。ダイエットサプリXの表5-1と違って，この表にはP大学に合格しなかった人の情報がありません。そこで不足している部分に仮のデータを入れて考えてみます。データが表5-7のようなものだとすると，この予備校はP大学に合格させる特別な力を持っていないという判断になります。一方，不合格者数が表5-8のようになっていれば，この予備校は他に比べてP大学に合格させる力を持っていると言えそうです。「合格者の2人に1人は～」は予備校の宣伝としてインパクトのある表現ですが，予備校の実力を評価しようとしても，情報不足のために他と比較はできません。

表5-7　P大学の合格者数と不合格者数（その1）

	Q予備校生	それ以外
P大学の合格者	100人	100人
P大学の不合格者	900人	900人

表5-8　P大学の合格者数と不合格者数（その2）

	Q予備校生	それ以外
P大学の合格者	100人	100人
P大学の不合格者	600人	1,200人

「じゃないほう」を意識しよう

ダイエットサプリXを買ったA君の例では，ダイエットサプリXを使わなかった場合のデータが抜けていたことが問題でしたね。ダイエットサプリXを使わない場合との比較があって，初めてその有効性を検討できるということを確認しました。一方，Q予備校の広告の例では，不合格者数が抜けているために比較できませんでした。特に予備校の場合，他の予備校との比較もさることながら，その予備校の利用者がどれくらいの割合でその大学に合格しているのかを知ることが大切かもしれません。いずれにせよ，「じゃないほう」のデータが重要になることを改めて意識してください。

しかしながら，実際には４分表を作ろうとしても必要なデータが入手できず，表を完成させられないケースがほとんどです。たとえ「〇〇人に１人が」という宣伝広告を見つけ４分表を作ってみようとしても，不合格者数のデータを簡単に手に入れることはできないでしょう。でも，肝心なのは「４分表を作って考えてみよう」とする意識です。データが揃えられなくても，４分表を作ろうとするだけで，広告に掲載されている都合のよいデータをうのみにする危険性はだいぶ下がります。物事を批判的に捉える姿勢はとても大切です。４分表を作ろうとする意識はそのためのよいきっかけになるはずです。

5－3　比率や割合に要注意

５－２では「～である」の有用性を検討するためには「～じゃないほう」のデータも用意し，それとの比較が欠かせないということを見てきました。しかし，常にそれぞれのデータを同じ量だけ集められるとは限りません。そこで大切になってくるのが**比率**と**割合**です。ここからは比率や割合について考えていきます。「え？今さら？」と思うかもしれませんが，十分に理解しているつもりでも，ちょっとした落とし穴や新たな気づきがあるかもしれません。

割合で比較する

割合とは全体に対する部分の比率のことです。注目するものの量が，もとにするものの量のどれくらいを占めるのかを表したものとも言えます。割合で考えることの利点として，**全体の数が異なるものの比較が容易にできること**があげられます。例えば英語の試験で，Ａ君は50点満点のテストで43点をとり，Ｂさんは100点満点の試験で78点をとったとしましょう。得点だけを聞けば43＜

78ですから，Bさんのほうが良い成績だという印象を持つかもしれません。

しかし，私たちはすぐに「満点が違うのだから，そのまま比較してはいけない」ということに気がつきます。値を直接比較できない場合に，私たちは割合を求めて比較します。すると，英語の成績が良かったのはA君ということがわかります（正当な比較をするならば，さらに試験の難易度を揃える必要があります）。

ここで，再びQ予備校のケースを考えてみます。前に出てきた表5－8ではQ予備校生とそれ以外で，それぞれの全体数が異なっていました。P大学を受験したQ予備校生は合格者数100人＋不合格者数600人で計700人，一方，それ以外での合格者数＋不合格者数は計1,300人です。この全体数をもとにした割合で書き直してみます（表5－9）。

表5－9　P大学の合格者数と不合格者数の割合

	Q予備校生	それ以外
合格者	100/700≒0.14	100/1300≒0.08
不合格者	600/700≒0.86	1200/1300≒0.92

こうすることでQ予備校生とそれ以外の違いがより明確につかめるようになり，合格率の比較が容易になります。この例の場合であれば，Q予備校生とそれ以外では0.14＞0.08なので，合格率はQ予備校生の方が高いですね。

こけしちゃんは何をまちがえたのか

ここで少し脱線して割合に関する間違えやすい計算についてみてみます。本章の始まりにあるマンガで，こけしちゃんが50％オフの50％オフで色めき立っていましたね。50％＋50％でトータル100％オフ，つまりタダになるのでは？と考えたようです。

さて，何が問題だったのでしょうか？　定価1万円の商品を具体例として考えてみましょう。まず，全品50％オフでこの商品は5,000円になります。全体を表す数は1万です。問題はレジでの50％の意味です。こけしちゃんはここでも全体の数を定価の1万円と考えてしまい，その50％でさらに5,000円引きになると勘違いしてしまったのです。実際はそうではありません。レジにもってきたのは5,000円に値引きされた商品です。つまり，全体の数は5,000です。「レジにてさらに50％オフ」はこの数に対して計算されるものなのです。5,000円の50％は2,500円ですから，このセールの場合，定価１万円の商品は2,500円で買えることになります。

このような勘違いは，セール以外の場面でもみることができます。例えば，ある選挙で「投票率60％，得票率60％」で当選した人がいたとしましょう。直感的に「有権者の60％の人が支持しているんだな」と思うかもしれませんが，それはちょっと違います。投票しなかった40％の人がどう考えているか分かりませんが，少なくとも投票した人に限れば，有権者の60％のうちの60％が投票した，つまり，「投票によりその人を支持したのは，有権者の36％（0.6×0.6＝0.36）」となるわけです。

割合を表す数字をみたら，常に「全体を表す数は何か」に意識を向けるようにしましょう。こけしちゃんもこのポイントを理解していれば，「タダ!?」という勘違いはしなかったのでしょうね。

割合だけでは正確な情報にならない

割合の値が同じであっても，全体の数が違うと，意味合いが違ってくることがあります。例えば，ある就職活動セミナーが開催され，参加した人の80％が満足したと答えていたとします。熱心に就職活動しながらも，そのセミナーに参加しなかった人の中には，「そんなに満足した人が多いセミナーだったのなら，自分も参加したかったな」と思う人が出てくるかもしれません。でも，全体の数に意識があれば「80％といっても，いったい何人参加したうちの80％だろう？」と考えることができるでしょう。1,000人参加したうちの800人なのか，５人が参加したうちの４人なのか，どちらも同じ80％ですが，1,000人規模のセミナーと５人規模のセミナーでは受ける印象がだいぶ違ってくるでしょう。

割合同士の比較にも十分気をつけなくてはなりません。具体例で考えてみましょう。

とある県で，R町かS町のいずれかに１棟だけ高齢者施設をつくる計画がありました。R町，S町の高齢化率（総人口に対する65歳以上の割合）がそれぞれ10%，25%だとしましょう。この数字に基づいて「S町のほうが高齢化率が高いので，S町に高齢者施設を作ろう」という提案が県議会に出されたとします。割合だけで判断するなら，もっともらしい提案だと思われますが，これは本当に適切な判断といえるでしょうか？

もし，R町の総人口が１万人で高齢者が1,000人，S町の総人口が8,000人で高齢者数が2,000人だとすれば，S町に高齢者施設を作るという判断は大きな間違いではなさそうです。しかし，もし，S町の総人口が100人で高齢者数が25人だとしても，同じような提案をするでしょうか。確かにS町の高齢化率は25%ですが，だからといって，R町ではなくS町に施設を，と簡単に判断を下すのは難しくなりそうです。

いったいぜんたい，「全体」って何の量？

割合と全体の量をつかんでいれば，正確な情報が手に入ったと考えていいのでしょうか。実は，他にも気を付けなくてはならないことがあります。それは**「全体」を指すもの**の確認です。ここでは２つのケースを取り上げます。

ひとつめのケースは，必要なデータがすべて揃っている場合です。データがあれば，そこから問題なく割合を計算することができます。ところが，現実問題としては，割合の計算の元となる「全体」を何にするべきか明確ではない場合があります。

例として，大学の「就職率」を考えてみます。就職率とは，大学に在籍している学生数に対して実際に就職した学生数の割合のことを意味します。しかし，「在籍している学生」といっても，「全体」の数としてどこまでを含めるか，についてはいくつかの考え方があります。もっともらしいのは在籍学生総数です。しかし，大学院進学など就職以外の道を選択する人がいる場合に，その人数を全体の数に含めるのは妥当でしょうか？　就職に関する数なのですから，就職希望者数を全体の数として計算するほうが実態に合うと考えられます。ただ，これでも十分ではないかもしれません。単位が足りず，卒業できる見込みがない学生が就職を希望した場合，就職希望者数に含めるべきでしょうか，それとも外すべきでしょうか？

大学や専門学校が受験生に向けて発信する就職率を見る時は，入学者数と在籍学生数の関係にも注意を払う必要があります。単位認定が厳しく，退学者が多数出る学校であれば，数字上の就職率は上がります。全体を表す数が小さくなるからです。少し極端な例をあげてみます。入学者が1,000人で退学者や留年する学生が出ないまま900人が就職をすれば，就職率は90％です。一方，入学者が1,000人で就職率調査時までの退学者が300人とすると在籍学生数は700人，そのうち630人が就職すれば就職率はやはり90％です。就職率が同じ90％でも，実際に就職した学生数が900人と630人では大きな差があります。さらに言えば，800人が退学して，残りの200人が全員就職すれば，就職率は100％になりますが，この学校が「就職に強い学校」だと宣伝していたとしたら，みなさんの多くが違和感を覚えるはずです。

ふたつめのケースは，情報に偏りがある場合です。イベントのアンケートを例に考えていきましょう。あるサークルが学園祭で催したイベントで，参加者を対象とした任意のアンケート調査を行いました。その結果，回答の8割が好

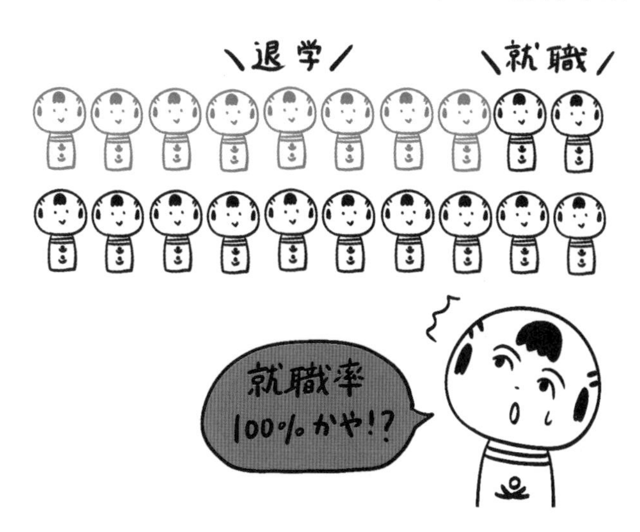

意的なものでした。さて，このイベントは本当に満足できるものだったと言えるでしょうか。

もしイベント参加者が1,000人でアンケートに答えた人が200人だった場合，好意的な回答をした人は200×0.8＝160人ということになります。一方，アンケートに答えていない人が800人いて，この人たちがどのような印象をもったかについては何の情報もありません。この800人には，イベントに興味がなかった人，つまらないと思い答えなかった人が多く含まれる可能性があります。つまり，イベントに好意的な人だけが積極的にアンケートに答えた「偏った情報」とも考えられるわけです。そうとらえると，アンケートで8割が好意的な評価をしてくれたという結果だけでは，無邪気に喜んではいけないのかもしれません（とはいえ，160人が好意的な印象を持ったことだけは事実ですので，その部分は素直に喜びましょう）。

5－4　比べるセンスを大切にしよう

4分表で仮説を検証する

科学的思考のループを回すには，仮説の検証が欠かせません。5－2で学んだ4分表は，この検証のための道具として役立てることができます。例えば，「就寝前の服用で翌朝の目覚めはスッキリ！」と謳うサプリYがあるとします。

ここから「寝る前にサプリYを飲めば，朝は気持ちよく起きられるだろう」という“仮説”を立てることができます。この仮説を検証しようとした場合，サプリYを服用している人のデータだけで十分でしょうか？　そうではありませんね。サプリYを服用していない人のデータも必要です。これらを比較することではじめて仮説のもっともらしさを論じることができるようにな

ります。

中学校理科で学んだ「対照実験」を覚えているでしょうか。対照実験とは，ある実験Ａに対し，ひとつの条件以外を同じにして行う実験Ｂのことを指します。実験Ａと実験Ｂを比較することで，結果の違いがその条件によるものであるということができます。例えば，植物の成長に光が必要かを調べるために，光を与えた場合（実験Ａ）と与えない場合（実験Ｂ）でその成長を比較する，という類いの実験です。４分表が検証のために有益な道具だと理解したことで，中学校理科で学んだことの「意味」も再確認できたかもしれません。

第３章では，仮説を支持する証拠だけがたくさん集められたとしても，それだけでは仮説が十分に検証されているとは限らない，ということを学びました。ここで学んだ４分表の作成の過程を思い出すことで，みなさんはその意味をより明確に理解することができるようになったと思います。仮説を支持する証拠だけをたくさん集めるということは，４分表でいえば，その半分のマスを埋めるデータだけを集めることに相当します。それだけでは，比較できない，つまり，仮説のもっともらしさを検証することはできない，ということはこれまで見てきた通りです。４分表はこのように正しく検証できているかのチェックにも使うことができるのです。

４分表から仮説を生み出す

４分表は仮説を生み出す「きっかけ」としても活用できます。立てた仮説を検証するために４分表を作って比較したところ，仮説を支持するような結果が得られなかったとします。仮説の確からしさを期待していたなら，それは残念な結果ですが，一方で「違いが出ないのはなぜだろう？」，あるいは「明確な違いが出たのはなぜだろう？」と考えることで，新たな仮説を作るためのきっかけにもなります。数字で比較できるところが４分表の強みです。数字にすることで違いが把握しやすくなり，より確からしい仮説を作るヒントにもなるのです。

また，５－２でも述べたように，４分表を作ろうとしても，実際はデータの入手が困難で表を完全に埋めることができないこともあります。その場合でも，不完全な4分表を眺めながら「抜けているところがもし○○だったら，どう説明できるだろう？」と考えを巡らすことで，新たな気づきにつながることもあるでしょう。何か仮説を生み出すための比較対象を探し出す，4分表はそういう時にも使える便利な道具といえるでしょう。

見えているものだけにとらわれない

先ほど，イベントに関するアンケートについて，「8割が好意的な回答でも情報に偏りがありうるので，もしかすると，あまり素直に喜べない状況かもしれません」という見方を紹介しました。しかし，情報に偏りがあるからこそ前向きに捉えることができる，そのような例を紹介しましょう。

イベントについてSNSで否定的なことが書かれ，さらにいろいろな人からバッシングを受けたとします。書き込みを見ているうちに心が折れそうになることもあるでしょう。でも，それは「見えているもの」だけを見て心を乱しているだけかもしれません。SNSの書き込みは，イベントに参加した全ての人によるものではありません。大抵SNSでの書き込みで騒ぐのは一部の人であり，特に関心がないから何も書き込まない人，こちらが思うほど気にしていない人の方が圧倒的に多いのです。手厳しい意見やコメントを目にしても，「割合」という観点から大きな「全体」の存在を意識してそれらを眺めると，SNSの書き込みに必要以上に振り回されずに済むかもしれません。

この章では数字を使って比較することの重要さについて学びました。数値化したものを比較することで，より正確な判断が下せることも学びました。数字同士を比較する場合には，数字そのものを用いるだけでなく，図式化した視覚的イメージで比較することもできます。視覚的なイメージを用いると，より直感的かつ的確に比較できるメリットが出てきます。次の章では数字をイメージ化して扱う手段の1つであるグラフについて学びます。

■■■ コラム ■■■　**割引とポイント還元**

いま，家電量販店を中心にポイント還元によるサービスがいろいろなところで展開されています。例えば１万円の商品を購入し，そこに「20％ポイント還元」されたとすると2,000円分のポイントがたまり，以後の買い物で2,000円相当まで現金の代わりにポイントで支払いができます。

さて，家電量販店Ａでは20％引きセール，家電量販店Ｂでは20％ポイント還元セールを実施していたとき，量販店Ａ，量販店Ｂはまったく同じセールを行っていると言えるでしょうか？　定価１万円の商品を買ったとして考えてみましょう。量販店Ａでは2,000円引きの8,000円で購入，量販店Ｂでは１万円で購入後にさらに2,000円分の買い物ができる，ということで**値引きされた金額**と**ポイント付与された金額**はＡ店とＢ店で同じです。では，実際に得た「価値」を基準にして両者を比較してみるとどうでしょうか。

Ａ店で実際に得たのは定価１万円の商品ですから，獲得した「価値」は１万円です。これに対して支払った金額は8,000円ですから，（ちょっとくどいかもしれませんが）数式で書くと，

$$10,000-10,000\times\frac{20}{100}=8,000$$

ということで，１万円の「価値」のモノを**20％引き**で購入したということになります。では，量販店Ｂはどうでしょう。１万円の商品を購入し，2,000円分のポイントを得たのですから，実際に獲得した「価値」は１万円＋2,000円で１万2,000円です。これを手に入れるためＢ店で支払った金額は１万円です。Ａ店での20％引きを表す式にならって，Ｂ店でx％引きしていると考えて式を立ててみましょう。１万2,000円の「価値」をx％引きの１万円で購入したということになりますから，

$$12,000-12,000\times\frac{x}{100}=10,000$$

となります。ここからxを求めると16.66……つまり**約17％引き**に相当することになります。割引率で比較するとポイント還元のほうが少し小さいこと

になります。

両者の違いがまだしっくりこない場合は極端な例で考えてみるとよいでしょう。100%引きと100%ポイント還元を比較してみましょう。100%引きはタダを意味します。一方，ポイント還元の方はどうでしょうか。タダではありませんね。とにかく一度お金を払っています。例えば1万円を支払って2万円相当のものが手元にある，これが100%ポイント還元の結果です。割引としてみると，50%引きで買ったのと同じことになります。

第 6 章

グラフのセンスを身につける

6－1　テキストVSイメージ
6－2　グラフを作ってみよう
6－3　グラフを読む／見抜く
6－4　グラフを使ってみよう
コラム　「うどんは好き？」アンケート

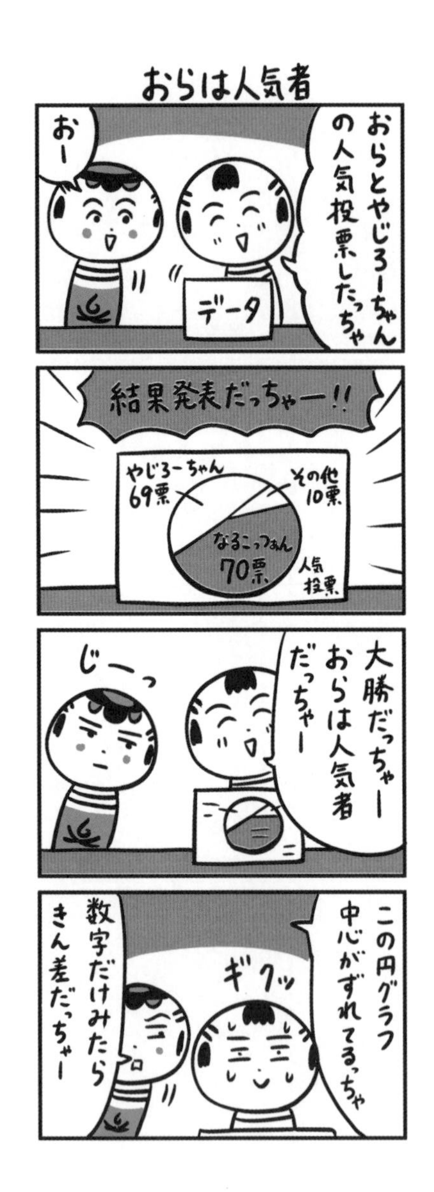
おらは人気者
おらとやじろーちゃん
の人気投票したっちゃ
おー
データ
結果発表だっちゃー!!
やじろーちゃん
69票
その他
10票
なるこっつぁん
70票
人気
投票
大勝だっちゃー
おらは人気者
だっちゃー
じーっ
この円グラフ
中心がずれてるっちゃ
ギクッ
数字だけみたら
きん差だっちゃー

6－1　テキストVSイメージ

まず，表6－1を見てください。2005年度から2020年度までのA，B，C，3社の年商データを“テキスト（数値）”で示し比較できるようになっています。あなたはこの表を見て，3社がそれぞれどういう状況にあるかパッと見でわかりますか？

表6－1　3社の年商比較（億円）

年度	2005	2006	2007	2008	2009	2010	2011	2012	2013	2014	2015	2016	2017	2018	2019	2020
A社	7.0	6.7	7.6	8.6	8.3	10.0	10.7	9.9	9.6	9.3	11.0	10.2	10.9	11.6	11.6	12.5
B社	20.0	19.5	18.0	18.5	17.5	16.8	15.5	15.1	15.3	15.0	14.7	14.0	13.8	13.1	12.3	12.5
C社	0.3	0.3	0.3	0.4	0.3	0.3	0.4	0.4	0.4	0.5	0.5	0.5	0.6	1.2	2.2	4.6

次に図6－1を見てください。これは，表6－1と同じデータをグラフという“イメージ”で示したものです。図6－1では，横軸が年度，縦軸が各社の年商です。こちらのグラフはどうでしょう。3社がそれぞれどういう状況かパッと分かりますか。

ほとんどの人は，表では「？？？」でしょうが，グラフでは比較的容易に以下の①～④の特徴を読み取れた（あるいは直感的に感じ取れた）のではないでしょうか。年商の変化は，①A社は2005年度から多少のデコボコはあるものの

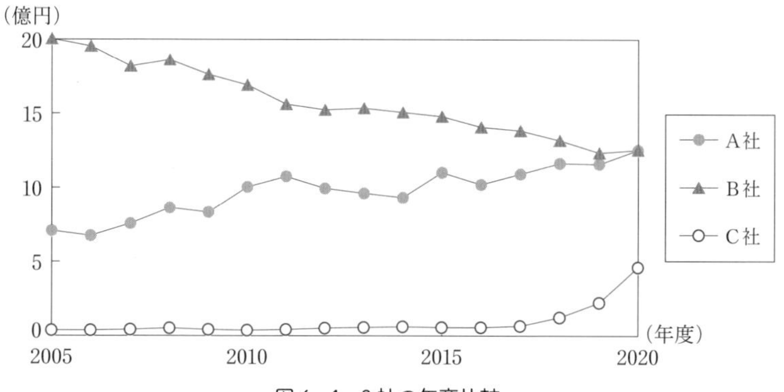

図6－1　3社の年商比較

ジリジリと伸ばしている，②B社は2005年度から徐々に落ちてきている，③C社は2018年度ごろから急激に増加している，④2020年度では，A社とB社の年商はほぼ同じであるが，C社はA社，B社の半分以下である。これらのことを表6－1から読み取るにはけっこう時間がかかりそうです。

私たちは，グラフのイメージから数値データが持っている意味をあっという間に理解してしまいます。どうしてでしょう。

グラフはなぜ分かりやすい？

図6－2を見てください。例えば2つのものを比較したときに，人数が多いとか少ないとか，対象が大きいとか小さいとかは，言葉を用いなくても見た目で簡単に判断できます（図6－2A）。さらにわかりやすくしたければ，これを規則正しく並べることによって，どれだけ差があるのかをはっきりと示すことができます（図6－2B）。一方，数値（図6－2C）は，10進法という論理的なルールにしたがって記号に変換した（実は非常に高度な）ものです。図6－2Bをきちんと整えたグラフ図6－2Dは，わたしたちの視覚に直接訴えかけるこ

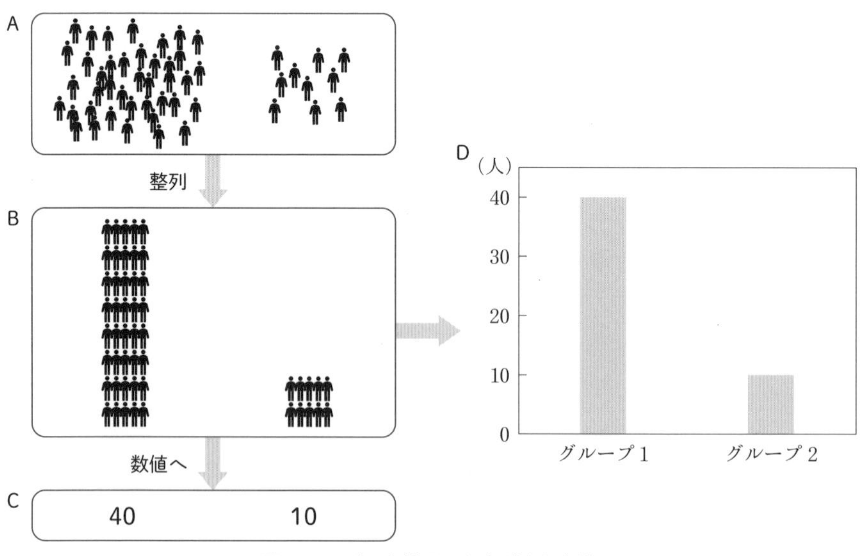

図6－2　データ整理のさまざまな方法

とで，言葉による説明がなくても，データが持つ意味を感覚的・直感的に伝えてくれます。

ただし，不用意に用いると

こうして見ると，数値をグラフにするのは良いことばかり，と思うかもしれません。ですが，はたしてそうでしょうか。

図６－３を見てください（これは序章でも紹介したものです）。このグラフがＸ社の会社説明資料に掲載されていたとしましょう。Ｘ社が2019年度，2020年度と急激に業績を伸ばしているように見えます。この解釈は間違いないでしょうか。もちろん，こんな問いかけをするのは，グラフに問題があるからです。

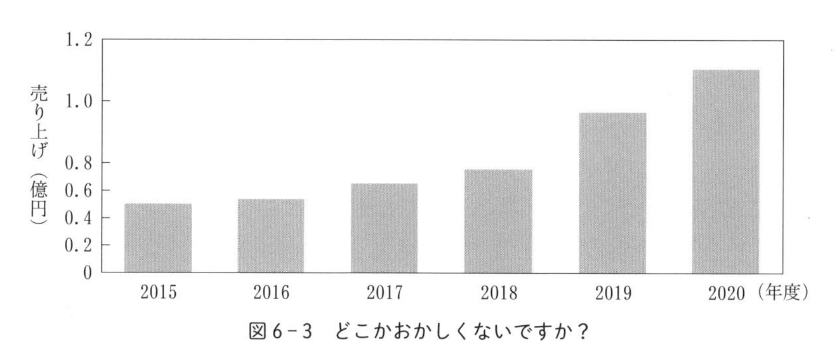

図６－３　どこかおかしくないですか？

グラフを使うことの大切さ

グラフは，あなたが主張したいことを効果的に人に伝えてくれたり，気づいていなかったことをあなた自身にしっかり理解させてくれたりします。でも，これは正しく作られたグラフであることが大前提です。不用意に作られたグラフは簡単に誤解を生みますし，作為的にねじ曲げられたグラフは簡単に人をだまします。

まずは，正しいグラフを作るために必要なことを学びましょう。正しいグラフを作れるようになれば，他の人が作成したグラフを読み解く時に気をつけなければならないポイントが，おのずと理解できるようになります。グラフを適切に作ったり読み解いたりすることができるようになれば，科学的思考での仮説の生成や検証のプロセスで，上手にグラフを利用できるようになるはずです。

6-2 グラフを作ってみよう

グラフを作るためには，まず「表したいもの，示したいこと」があり，それを「数値」や「データ」にしなければなりません。当たり前のことのように思われるかもしれませんが，実際にグラフを作ろうとすると，ここでつまずくことがあります。

例えば，第5章に4分表づくりの練習問題として「温泉湯治の効能」がありました。湯治とは「ゆっくりお湯に浸かって病気や痛いところを治す」ことを指します。ここで「温泉」による湯治の効果を4分表にまとめるため，調査を行って数値データを取ろうとすると，何をどのように調べてデータにすれば良いかわかりますか？

まず，腰痛を持っている患者さんを「温泉で湯治するグループ1,000人」と「水道水の沸かし湯で湯治するグループ1,000人」に分け，一定期間に同じスケジュールでお湯に浸かってもらう。その後，腰痛が「治った人数」「治らなかった人数」をそれぞれのグループで割り出して，比較すればいいかな。

きちんと考えるとけっこう大変ですね。もちろん「温泉の効能」を示すために，これとは違う数値化の方法を考えることもできるでしょう。この議論はこれだけで1章分が必要になってしまいそうなので，ここでは「表したいもの，示したいこと」はすでに数値化されている，という前提で進めましょう。

基本のグラフ

グラフで示すことができる基本的なパターンは，**値の比較，値の変化，割合**の3つに集約できます。

「値の比較」を示すグラフは図６－２Dに，「値の変化」を示すグラフは図６－１，図６－３に，すでに出てきました。これらの図では，横軸に比較したいものが並べられています。図６－２Dではグループ１とグループ２の数量データが比較されていますね。図６－１では各社の年度ごとのデータが並べられ変化がわかりますね。

「割合」では，図６－４のような円グラフや積み上げ棒グラフがよく用いられます。これらのグラフでは，全体を１，または，100％として，各項目の割合を表示します。第５章「数字のセンスを身につける」でもふれたように，「割合」自体の取り扱いに気をつけなければなりませんが，「割合」の比較や変化を議論するときには，さらに注意が必要となります。

まず，「値の比較」，「値の変化」を表すグラフを作る時のポイントから始めましょう。

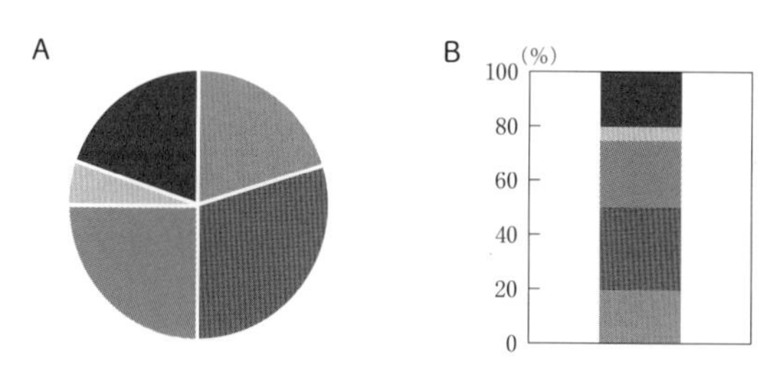

図６－４　円グラフ（A）と100％積み上げ棒グラフ（B）

縦軸を意識しよう

図６－５に示した２つのグラフを見てください。いずれもスマホのバッテリー持ち時間を新旧製品間で比較したものですが，実は同じデータから作成したグラフです。グラフAは「新製品は性能が良くなっている」，グラフBは「新製品にそれほど改善は見られない」，という印象を与えるでしょう。この印象の違いはどこからくるのでしょうか。

答えは縦軸の設定にあります。そもそもグラフの元のデータでは，新製品16.5時間，旧製品15時間とそれほど差がある訳ではありません。図６－５Bでは，これをストレートに表すために，グラフの縦軸（バッテリー持ち時間）の一

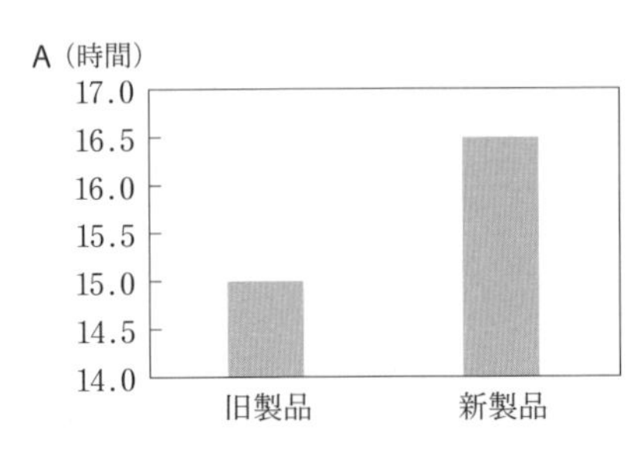

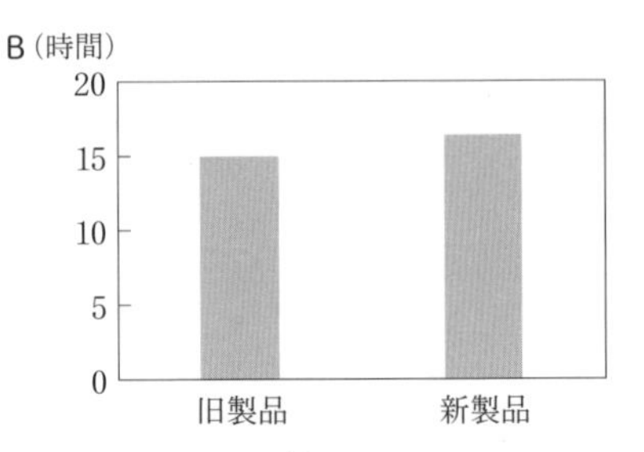

図6－5　同じデータから作った２枚の図。A，Bは何が違う？

番下の値を「０」に設定してあります。グラフを作るとき，縦軸の目盛りは作成者が自由に設定できます。差を強調した方がなんとなくいいだろう，と判断してグラフAのように設定してしまえば，本当はほとんど差がないところに大きな差があるような誤解を与えるグラフになってしまいます。

「値の比較」，「値の変化」のポイント

この例から導き出される「値の比較」「値の変化」グラフを作るポイントは次のようになります。まず前提として**グラフ化する数値データが意味していることをきちんと理解する**ことが必要です。その上で**数値データの意味を誤解なく伝えるように縦軸の目盛りを設定する**ことです。

図６－３のグラフの問題点はもう指摘できますね。このグラフでは縦軸の目盛りが意図的に細工されています。この目盛りの設定によって，2019～20年度の売り上げが急激に伸びた，という印象を与えようとグラフ作成者が考えていた，と推測できます。

「割合」の表示

割合は，全体を１または100％として示しますから，値を表すときの縦軸の目盛りをどう設定するか，というような問題はほとんど生じません。割合の表示目盛りが自由に設定されたような積み上げ棒グラフや，本章冒頭のマンガでこけしの〝なるこっつぁん〟が作ったような中心がずれた円グラフが出てくれば，さすがにこれはおかしい，とだれでも気づくでしょう。ですから，「割合」

自体をしっかり理解してさえいれば，割合を示すデータからグラフを1つ作る際にさほど気をつけなければいけない点はありません。問題になるのは割合を「比較」しようとするときです。

割合の比較は大事なんだけど……

割合を比較したい，ということはよくあります。例えば，県別の年齢構成比の比較とか，あるいは，国別の産業構成比率の比較とか。このような場合，割合を求めるための母数（全体の数）が十分に大きく，同時に，母数に違いがあることを十分に理解していれば，問題はほとんどありません。ところが，母数をハッキリさせないまま割合を比較してしまうと，途端にあやしいグラフになってしまいます。割合を比較した図6－6を見てみましょう。

このグラフ，どこかに問題はあるでしょうか。実はグラフの下についている※印の注意書きに「問題の種」があります。※1の「全国から無作為に選んだ各年代の2,000人（男女各1,000人）を対象」は問題ありません。問題は，※2の「各年代の回答者を母数として，支持政党割合を算出し表示」です。グラフは「各年代の回答者を母数」としているにもかかわらず，「各年代それぞれの

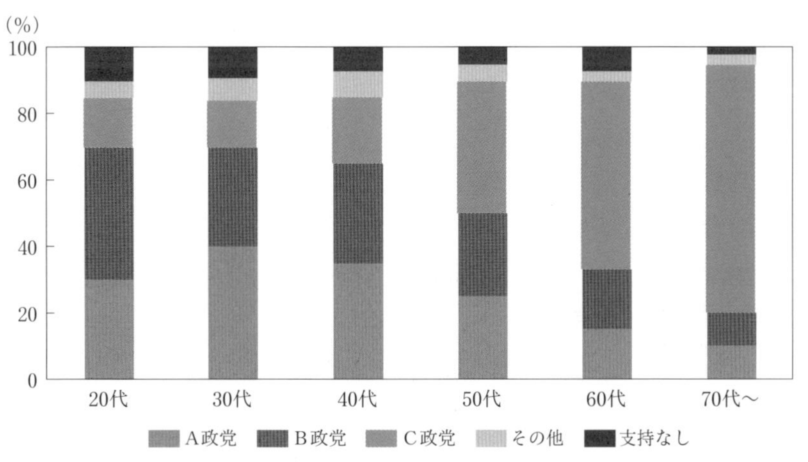

※1　全国から無作為に選んだ各年代の2,000人（男女各1,000人）を対象とした。
※2　各年代の回答者を母数として，支持政党割合を算出し表示。

図6－6　支持政党アンケート（年代別）

回答者数」がどこにも示してありません。各年代で回答者数がおおむね同じであれば，各年代の割合グラフを比較することは一応できます。ですが，年代別で回答者数が極端に違っていたとすればどうでしょう？

「回答していない人」も大事

図６－７に，図６－６の元データを示しました。この図を見ると，年齢が若いほど回答者数が少ないことがわかります。図６－６と図６－７の２つのグラフの印象はずいぶん違います。図６－６は，Ａ政党，Ｂ政党の支持率が若い世代ほど高いという印象ですが，図６－７ではどうでしょう。回答者内でＡ政党，Ｂ政党の割合が高いのは同じですが，無回答者がこれだけ多いと，そもそも回答者の結果自体をどう評価すればよいのかが難しくなります。若い世代に関して図６－７から言えることは，圧倒的に無回答が多いということ，回答した人の中ではＡ政党またはＢ政党の支持者が多いこと，ぐらいでしょうか。

「割合」のポイント

図６－６，図６－７が意味することは，**割合を比較するためには，割合を求めるとき基準となる全体（母数）が，ある程度統一され比較にたえるものになっ**

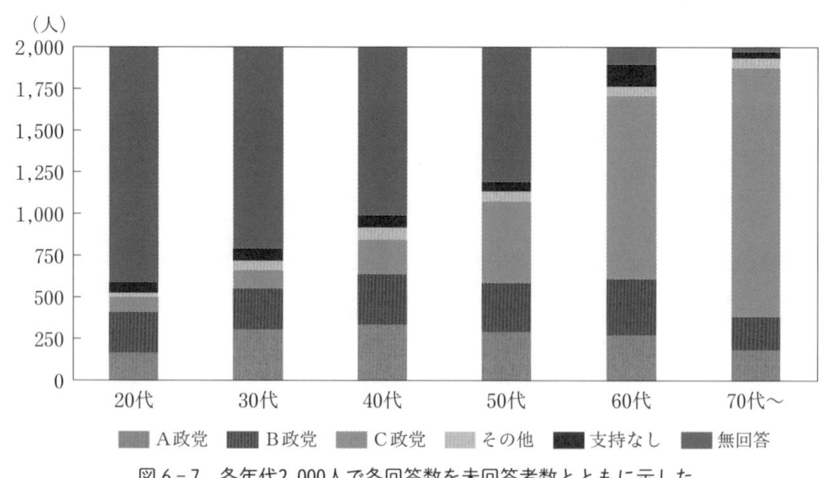

図６－７　各年代2,000人で各回答数を未回答者数とともに示した

ている必要があるということです。20代，30代のアンケート結果については，第5章で出てきたイベントのアンケートや，SNSのコメントの例と同じことが言えます。図6－6では，20代，30代で特定の政党が支持されているように見えますが，無回答者がこれほど多いのであれば，そもそも図6－6のような無回答者数を示さないグラフ自体を作ってよいのか疑問がわいてきます。

割合を比較するグラフを作成するときのポイントは**基準となる全体（母数）に気をつけよう**です（これは，第5章でも指摘したことです）。「値の比較」，「値の変化」では，値の意味は数値データそのものですから，これはグラフの縦軸目盛りとして直接明示され注意しやすいです。一方，割合の意味は，割合を求める時の基準となる“全体”に強く依存します。割合における“全体”は，計算する途中では出てきますが，グラフに直接明示されることはほとんどありません。したがって，グラフの作成時は，“全体”が適切か，本当に割合を比較してよいかなど，より注意を払わなければなりません。

6－3　グラフを読む／見抜く

ほとんどの人は，自分でグラフを作る機会より，他の人が作成したグラフを読む機会のほうが多いでしょう。6－2ではグラフを「作るポイント」を学びましたが，これらはほぼそのまま「グラフを読むコツ／見抜くコツ」に当てはめることができます。

本節ではこの「読むコツ／見抜くコツ」を学びます。なお，「見抜く」という言葉を使うのは，世の中には不用意に作られた，あるいはわざと誤解を与えようと作られたグラフが思っている以上にあり，それらの不備を「見抜く」ことが大切になるからです。

「見ため」に引き寄せられると……

グラフを見ると，わたしたちは「データはどうなっているのか」が気になって，そちらに目が行きがちです。図6－5であれば棒グラフの高さにどれくらい差があるか，図６－３では棒グラフの高さがどれほど急激に変化しているか，という「見ため」に気をとられます。ですが，「作るポイント」で学んだとおり，大事なのはグラフの「見ため」ではなく，データの意味を正しく伝えるようにグラフが作られているかでした。これは，「グラフを読む／見抜く」場面でも同じです。グラフがちゃんと作られているかどうか見抜くには，データを見る前に，データ以外の部分に注目する必要があります。

読むコツ／見抜くコツ①　データを隠す

グラフを読むコツ／見抜くコツの１つ目は，**データを隠してグラフを読む**です。しっかり作られたグラフは，縦軸や横軸が何を表しているかが，データを隠してもきちんと記されています。軸を見ることで，そのグラフでは値を比較しているのか，値の変化を表しているのか，割合を表しているのか，割合を比較しようとしているのか，が読みとれるはずです。そのうえで，縦軸の目盛り設定をチェックすれば，そのグラフにデータをいれるとどういうことが表現できるか，がイメージできるはずです。それらを十分理解した上でデータを見れば，データがどういう意味を持つのかをすんなり理解できるでしょう。例えば，図６－５のＡ，Ｂそれぞれのデータの部分を隠し，横軸縦軸だけを残してグラフを比較してみてください。Ａのグラフからは「縦軸はバッテリー持ち時間を表すのだろうが，ずいぶん狭い範囲しか示さないんだな」ということがあらかじめわかります。

このように，データを隠してグラフを読むことで，そのグラフを作った人が実際にたどったプロセスを追体験することになります。もしそこに作為的な不備があれば，この方法でそれを見抜くことができるはずです。「値の比較」グラフを作るところで指摘したポイントが「グラフを読むコツ／見抜くコツ」になる理由です。

読むコツ／見抜くコツ②　比較の基準をハッキリさせる

２つ目のコツは，「ちゃんと比較されているか」どうかです。作るポイント

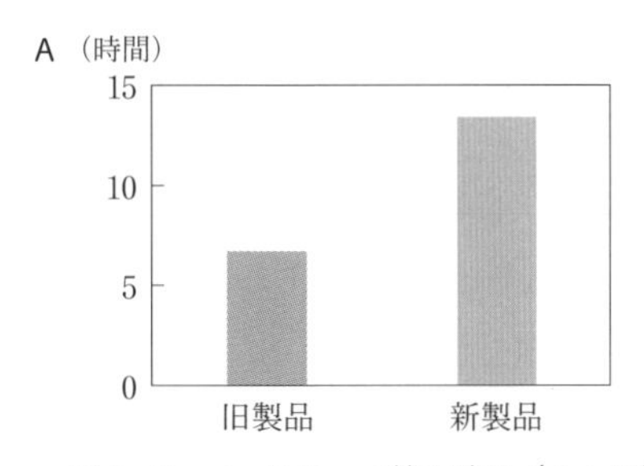

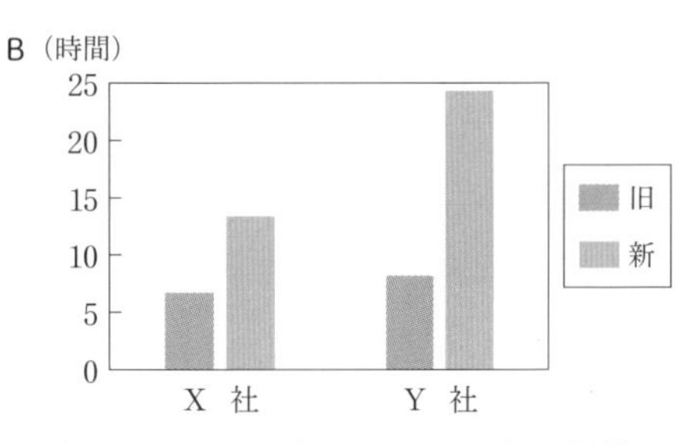

図6－8　バッテリーの持ち時間（A：X社内での新旧比較，B：2社それぞれでの新旧比較）

でも指摘したように，そもそも数値やグラフは比較しないと意味がありません。「ちゃんと比較する」とは，「比較の基準が明確である」ということです。どのようなグラフであれ，読むとき／見抜くときに重要となるのは，**比較の基準が何かをハッキリさせる**ことです。

図6－8はバッテリーの持ち時間に関するグラフです。図6－8Aは，縦軸がちゃんと設定されていて新製品のバッテリー持ち時間が十分高いことを示しています。新製品はずいぶん性能がアップしたといえそうですね……，むむむっ，ほんとうにそれでよいでしょうか。何か足りない気がしませんか？　この会社の製品同士で比較すれば，確かに新製品が素晴らしいことは間違いありませんが……。

そこで，図6－8Bでは他社の同等機種の新旧製品データを追加してみました。いかがでしょう。図6－8Aで示されたデータは，図6－8BではX社のデータに対応します。X社の新製品は，自社の旧製品を基準とすれば素晴らしいですが，Y社の新製品を基準として比較するとずいぶん見劣りします。図6－8Aの意味はずいぶん変わりますね。

データの意味をはっきりさせるには，比較すること，基準を明確にすることがとても大事です。グラフとしてはちゃんと作られている図6－8Aも，これはちゃんと比較されているのだろうか，基準は自社の旧製品でいいのだろうか，と考えることでグラフの足りない部分が見えてきます。このような基準の重要性については第5章でも指摘しました。

比率の比較（図6－6）においても「基準としての全体（母数）」が問題でし

た。この図を見て「比較の基準は何か」と考えることができれば，「回答者数がデータの基準（母数）になっている」と気づくことができるはずです。そこで各世代の回答者数をチェックすることで，グラフ自体に問題があるかどうか，図6－6の場合，割合を年代間で比較できるかどうか，を判断することができるわけです。

あなたの中に潜むワナ

「作るポイント」からふたつの「読むコツ／見抜くコツ」を導きました。「作るポイント」にはあげていませんが，データを提供された時に注意しなければならないポイントがもう1つあります。それは，「グラフを作る」ことに慣れれば慣れるほど陥ってしまいがちなワナかもしれません。具体例で説明しましょう。

就職活動の一環でネットを眺めていたら，次のような説明が目に入ってきました。

> 弊社は，平均年齢は25歳と大変若い会社ですが，平均年収はおよそ600万円となっており，これは日本における20代の平均年収（約300万円）と比較しても，格段に高い値となっています。

さて，あなたはこの会社をどのように評価しますか。「すばらしい！すぐに詳しい会社資料を取り寄せなきゃ！」でしょうか。それとも「なんだかちょっとあやしいなぁ」でしょうか。この説明にグラフは出てきていませんが，問題は読んだあなたの頭の中で作られるグラフです。「平均年齢25歳」，「平均年収600万円」という言葉から，図6－9のようなグラフを想い描いていませんか。

「平均」は小学校から高校まで何度も習いますが，わかりやすく説明したり，理解しやすくしたりするために，図6－9のように「きれいな分布」のデータを用いることが多いと思います。そのせいか，私たちは「平均」というと，図6－9のようにピークが1つで，これが平均とおおむね一致する分布を想定し

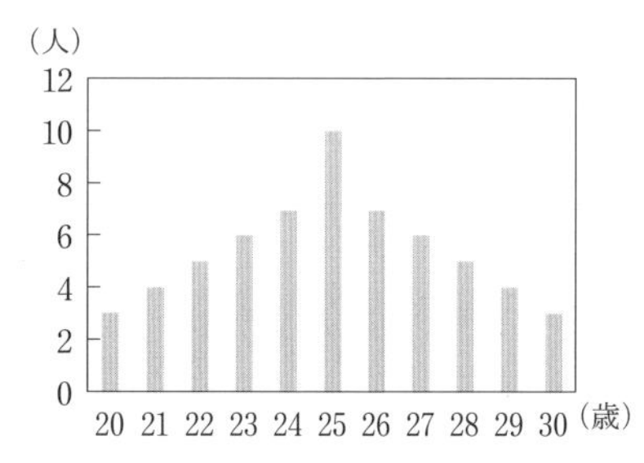

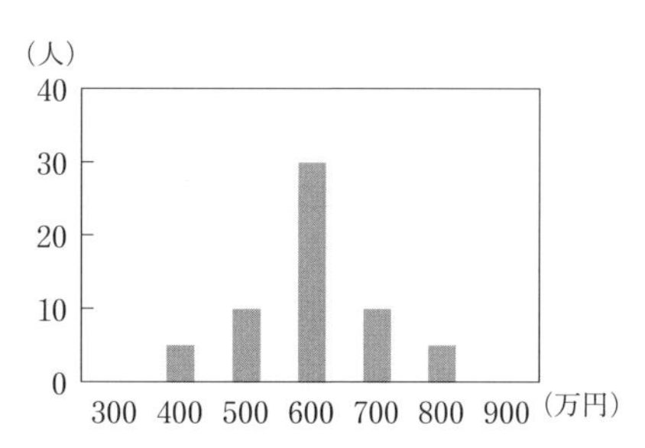

図６－９　平均年齢25歳，平均年収600万円となる典型的な分布の例

がちです。もし「この会社，すばらしい」という印象を持ったとすれば，このようなグラフを想定し，若い社員の割合が多いにもかかわらず年収が高いと判断したからでしょう。

自分の常識を疑おう

でも，「平均」がどのように計算されるか知っていれば，同じ平均の値であっても，さまざまなデータの分布が考えられ，「平均年齢25歳」や「平均年収600万円」となる分布は無数に存在します。極端な例を図６－10に示します。これがこの会社の実体だとすれば，最初は良い印象を持った説明文が一気に怪しくなってきます。

図６－10からは，若者が多いのは確かですが，平均年収が高いのは一人だけが極端に高い収入（4,200万円）を得ているためで，他の社員のほとんどは，日本の20代の平均年収よりも低い金額（200万円）しか得ていないことが読み取れます。説明資料に，年齢・年収に関する分布データを公開していないのだとす

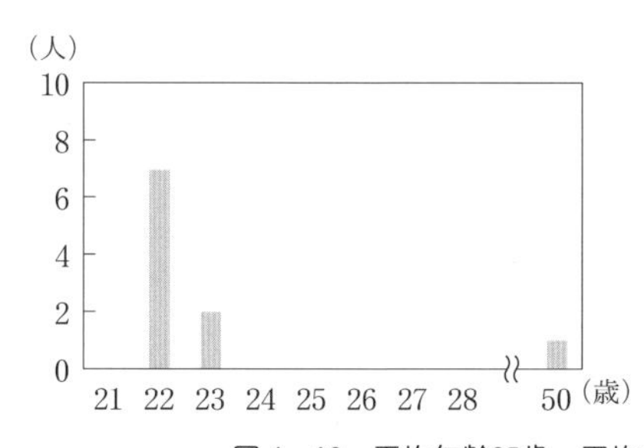

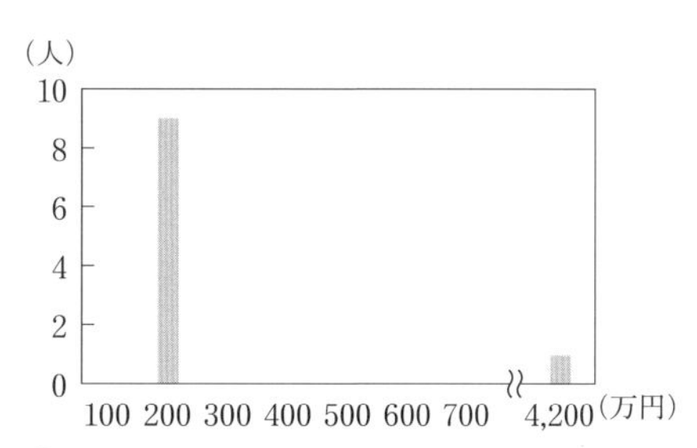

図６－10　平均年齢25歳，平均年収600万円となる極端な分布の例

れば，このような分布の可能性があるということを理解しておく必要があります。自分の思い込みで持っているグラフのイメージに，自分自身がだまされてしまう，なんてことがあってはいけませんね。

6-4　グラフを使ってみよう

「値の比較」「値の変化」「割合」に焦点を当て，「グラフを作る」ポイント，「グラフを読む／見抜く」コツを説明してきました。テキストデータでは理解できないことも，きちんと作られたグラフからはデータの意味が容易に推測され，理解できることがわかりました。本章冒頭に示した図6-1はこの良い例です。図6-1からは，例えば「③C社は年商が2018年度ごろから急激に増加している」ということを読み取りましたが，ここからさらに「就職するにはC社を選択するのがよい，なぜならこれからさらなる成長が望めるだろうから」という仮説を立てることもできます。また，図6-9と図6-10のケースでは，平均年齢と平均年収は同じですが，図6-9からは「若々しく給料がいい会社だ」，図6-10からは「かなり不誠実な会社かもしれない」というまったく異なる仮説が導けます。このようにグラフは，仮説を立てる場面で積極的に利用することができます。

ところで，もうひとつ**散布図**というかなり大事なグラフがあります。散布図は，図6-9に示されたような同一集団の人々の年齢と年収という2つの分布データから作ることができます。

「観察したデータをまとめて，データの意味を理解し，仮説を立てる」という科学的思考のプロセスにおいて，散布図は重要なグラフです。ですから次の第7章では，その散布図に基づいて考える練習をしていきます。この章の終わりに，グラフのセンスを磨く仕上げとして，また，次章への橋渡しとして，散布図の作り方と注意点を簡単に説明しておきましょう。

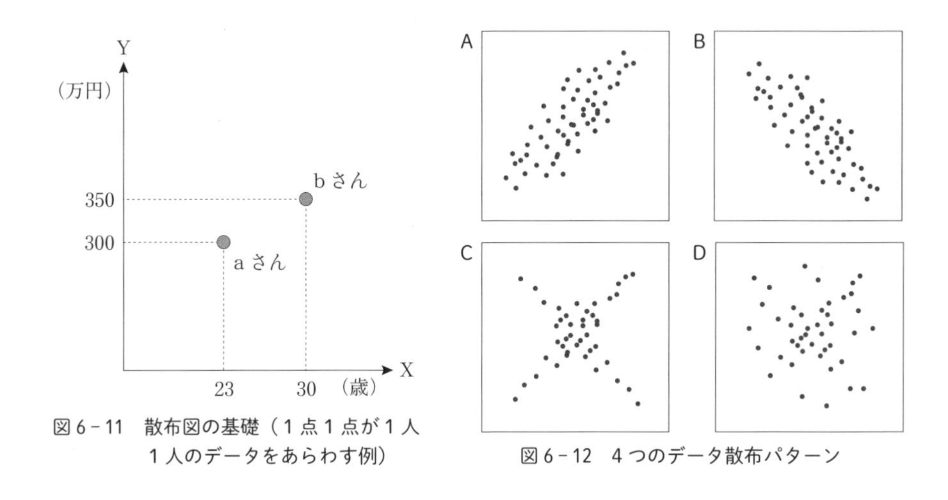

図６－11　散布図の基礎（１点１点が１人１人のデータをあらわす例）

図６－12　４つのデータ散布パターン

二つの分布データを組み合わせると……

年齢を横軸（X軸）に，年収を縦軸（Y軸）にとったグラフを考えましょう。例えば，図６－９の２つのグラフに別々に含まれている，社員ａさんの年齢と年収のデータの組み合わせ（仮に23歳，300万円とします）は，X－Yグラフ上の１点（X，Y）＝（23歳，300万円）として表されます。ｂさんのデータがあれば，これもグラフの１点（仮に30歳，350万円）として表されます（図６－11）。

これをすべての社員さんに対して行えば，会社の（年齢，年収）データはX－Yグラフでの点の集まりとして表現されます。これが**散布図**です。データが増えれば増えるほど，年齢と年収の組み合わせデータがどんな風に集まっているか，または散らばっているか，つまりデータの散布状況がわかります。これが散布図と呼ばれる理由です。

さて，図６－12 に，散布図の例として４つのパターンを示しましたが，図６－９の２つのグラフを１つの散布図にした場合，どのパターンになるでしょう。

また常識にとらわれていませんか

「Aが正解でしょ！」と思った方。まだグラフ・マスターにはほど遠いですね。

実はA～Dの4パターンすべてに可能性があります。年齢が低いから年収も低い，という規則はありません。実際の社会ではそのようなケースが多いとしても，今回のグラフにもそのままあてはまるという保証はどこにもないのです。年齢に応じて年収が上がっていく場合もあれば，最も若い人が最も高い収入を得ているという可能性もあります。

このように考えていくと，年齢が上がるにしたがって年収も上がっているグラフAは1つの可能性でしかありません。年齢が上がるにしたがい年収が下がっているグラフBも，立派なひとつの可能性ですし，グラフAとグラフBを組み合わせたようなグラフCや，年齢と年収がまんべんなく分布しているグラフDも可能性としてありえます。

データに基づいて散布図を作り，どのようなパターンになったかが判明すれば，そこからグラフに基づいた仮説が得られます。例えば，Aパターンであれば「一般的な年齢・年収分布を持った会社」という仮説が，Bパターンであれば「年齢が上がるにしたがい年収が下がる奇妙な会社」という仮説が立てられますね。散布図を作ったり読んだりするときにも，自分の思い込みや常識に気をつけなければなりません。

本章最後のグラフとして，図6－10の分布になるような散布図の例を図6－13に2つ示しておきましょう。データだけに基づけば，これら2つの散布図がどちらもあり得ることは，もう納得できるでしょうか（もちろん，このほかにも可能性は考えられます）。

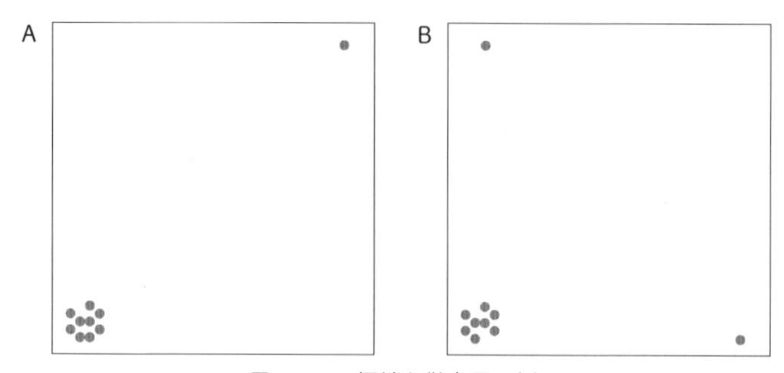

図6－13　極端な散布図の例

あとは実践のみ

グラフを利用するための基本的な知識は，十分お伝えできたと思います。ですが，これらは知識として理解しただけでは不十分で，実際に**自分でグラフを作る，さまざまなグラフを読む**という実践が不可欠です。いろいろな機会を見つけてトライし，グラフのセンスを磨いてください。グラフを上手に利用できれば，科学的思考をさらに使いこなすことができるようにもなります。

次の章では，散布図を独立して取り上げ，データの裏に隠れた「関係性」を読み取り仮説を立てる，という科学的思考におけるグラフの実践的利用を学びます。第７章を読み進めていて，グラフについて疑問に思うことが出てきたら，本章を読み返してください。

■■■ コラム ■■■　「うどんは好き？」アンケート

あなたは大学生協の食堂でアルバイトをしています。ある日店長からつぎのように相談されました。

店長：出汁や麺を見直して渾身のうどんを作ったんだけど，さほど売り上げがのびないんだよね。アンケートを取ってみたんだけど，ちょっと見てくれるかな。Aはピークがひとつで，みんなわりとうどん好きなのに，Bはピークが２つにわかれるんだよね。これどう考えればいいの？

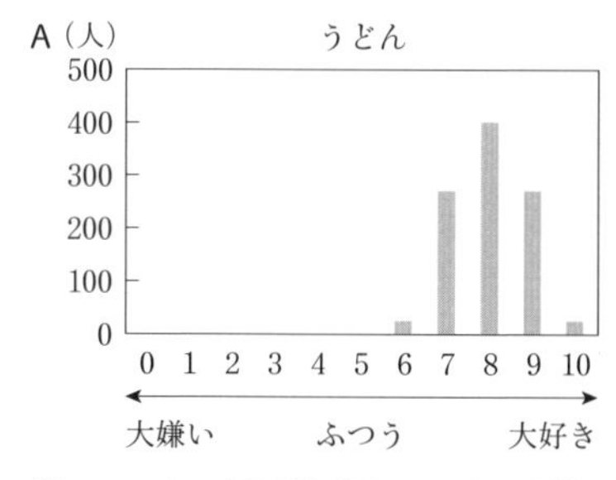

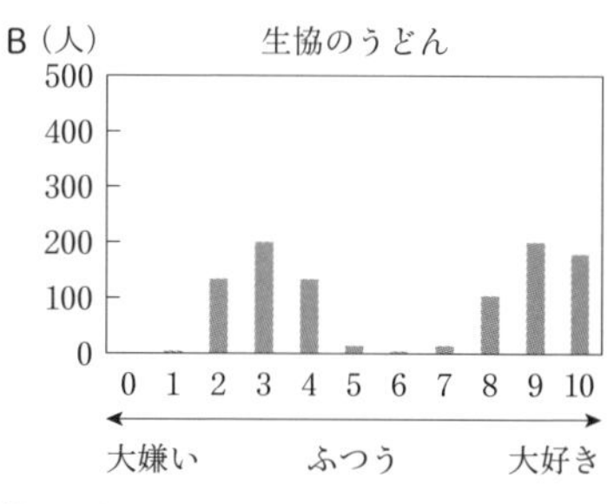

※１　アンケート用紙を○月△日から１週間の生協利用者1,000人（複数回利用者は１回のみ回答）に配付し，95％回収。

※２　「大好き」を10，「ふつう」を５，「大嫌い」を０として，０から10の数で回答。

グラフAは「うどんは好き？」という質問への，グラフBは「生協のうどんは好き？」という質問への回答です。グラフを読むコツを実行すると，欄外の注意書きの※１に「１週間の利用者1,000人（複数回利用者は１回のみ回答）に配付し，95%回収」とあります。実際A，Bのグラフでは，どちらもおよそ1,000人分の回答が表示されており，生協利用者の特徴をちゃんと反映していて，ふたつのアンケート結果を比較してもよさそうです。

あなたは，この２つのグラフをどのように解釈しますか。「あなた自身が回答者だったら」を考えた上で，このグラフがどのように解釈されるかを説明してみましょう。

第 7 章

関係性のセンスを身につける

7－1　相関ってなんだろう？
7－2　因果ってなんだろう？
7－3　相関は取り扱い注意！
7－4　相関と因果を活用しよう
コラム　“勝つ”と“カツ”？

アイス
バシャ
バシャ
はーっあっついなやー
アイス食うべ！
アイス
まってけろ！
アイスの売上が上がっと
水難事故が増える
んだど
おっかねぇから
アイス我慢すっちゃー
本当かや？

7－1　相関ってなんだろう？

まずは次のニュースを読んでみてください。

○○国の首都□□市で３日未明に発砲事件があり，９人が重軽傷を負いました。うち１名は日本から留学中の△△大学２年のＡ子さんで，現在，地元の病院で手当てを受けていますが，軽傷で命に別状はないとのことです。地元メディアによりますと，□□市では，犯罪件数，銃の所有数のいずれもが年々増加しているとのことです。

このようなニュースを耳にすると，多くの人が「発砲事件か，怖いな」「Ａ子さん，ひどい目に遭って，かわいそう」「犯罪が増加しているなら銃規制すればいいのに」などと考えるでしょう。では次のニュースはどうでしょうか？

○○国の首都□□市で３日未明に発砲事件があり，９人が重軽傷を負いました。うち１名は日本から留学中の△△大学２年のＢ子さんで，現在，地元の病院で手当てを受けていますが，軽傷で命に別状はないとのことです。地元メディアによりますと，□□市では犯罪件数，魚介類の消費量のいずれもが年々増加しているとのことです。

これを読んだみなさんの多くは，「なんで魚介類が出てくるの？」「犯罪件数と魚介類の消費量に何か関係があるの？」などと思うのではないでしょうか。

では，これらの記事に図７－1Ａ，Ｂがそれぞれについていたとしたら，どうでしょうか。銃の所有数と犯罪件数の関係性をあらわすＡのグラフからは，最初の記事の深刻さがより明確に伝わるような印象を受けます。Ｂのグラフも魚介類と銃の所有数に関係性があることをより明確に示しているという点ではＡのグラフと同じです。しかし，これが示されたからと言って「なんで？」と

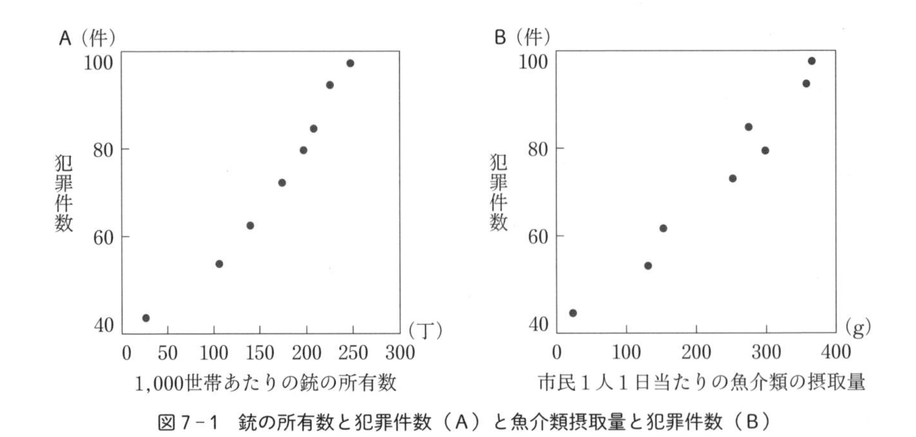

図7－1　銃の所有数と犯罪件数（A）と魚介類摂取量と犯罪件数（B）

いう印象は変わりませんし，もしかしたらその疑問はより強くなるかもしれません。

仮に2つのグラフが同時に提示された場合はどうでしょう。「銃が増えると銃を使った犯罪が増えるというのはわかるけど，魚を食べると暴力的になって犯罪に走るなんてことがあるのかな？」と考える人もいるのではないでしょうか。同じようなグラフでも，同じように解釈できないことがありそうです。このような図が与えられた場合，何に注意してどのように解釈すべきなのでしょうか？

本章では相関と因果という二つの言葉をキーワードとして，様々なデータのあいだの関係性を読み解いていきます。この章が理解できると，ものごとのつながりについて視野が広がるとともに，誤った考えに陥る可能性を回避できるようになります。まず，相関から始めていくことにしましょう。

相関とは

相関とは「2つの異なる数値データの間において，一方の量の増減に対して他方の量が増減する関係」のことを指します。図7－2に2種類の相関を示します。AはXの値が大きいほどYの値も大きい関係を，BはXの値が大きいほどYの値が小さい関係を示しており，その関係を近似的に一本の直線で表して

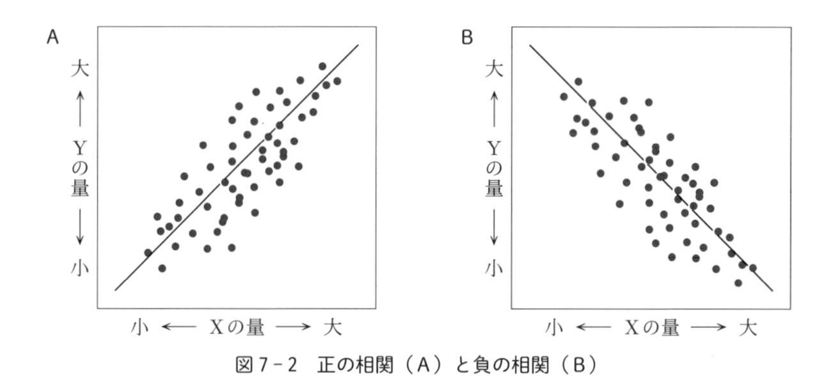

図７－２　正の相関（A）と負の相関（B）

います。図７－2Aのような相関を**正の相関**，図７－2Bのような相関を**負の相関**といいます（統計学的にはもう少し厳密な定義が必要になりますが，ここでは，あまり深入りせず，このくらいの簡単な説明にとどめます）。

このような関係はいろいろなところで見つけることができます。身近な例である身長と体重の関係について見てみましょう。個人差はあるものの，一般的には身長が小さい人は体重が軽く，身長が高い人は体重が重くなることが想像できますね。実際のデータを見ても，例えば日本人男子11歳から18歳の年齢別平均身長と平均体重には正の相関があることが見て取れます（図７－3A）。

もうひとつの例として，年齢と睡眠時間の関係を見てみましょう。子供の頃はたくさん寝ていたけれど，大人になってからは睡眠時間が減っているような

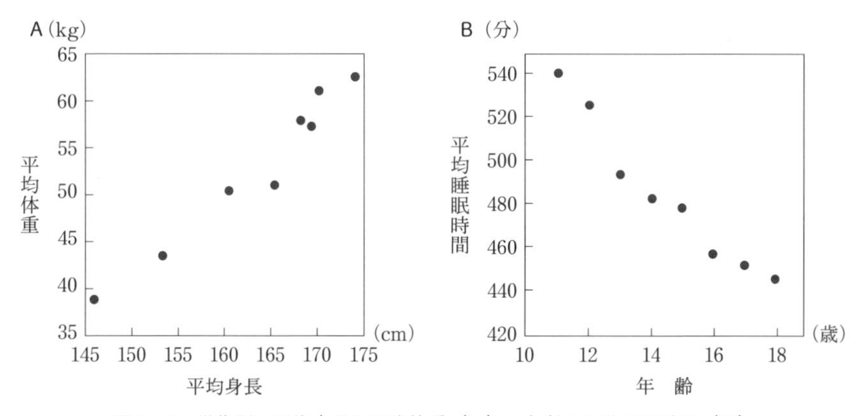

図７－３　世代別の平均身長と平均体重（A）と年齢と平均睡眠時間（B）

気がする，という人は少なくないのではないでしょうか。11歳から18歳までを対象とした社会生活調査の結果から，図7－3Bのような関係が得られました。この図から年齢と睡眠時間の間には負の相関があることがわかります。

相関がないとは

相関がみられないものについても確認しておきましょう。正の相関，負の相関がないものは全て「相関がない」となります。相関がない例を図7－4に示します。図7－4Aは，点がまんべんなく散らばっていて，近似直線をどのように引いてもしっくりこない関係，BはXの大きさに関係なく，Yがほぼ一定になっている関係，CはYの大きさに関係なく，Xがほぼ一定になっている関係です。

実例も見ておきましょう。図7－5Aは森林率（都道府県の面積に対して森林面積が占める割合）と人工林率（森林面積に対して人工林面積が占める割合）の関係を示したものです。これらの間にはひとつの直線で表せるような関係が見出せません。森林率が高く人工林率が低い県もあれば，逆に森林率が低く人工林率が高い県もある，どちらも低い県があれば，どちらもソコソコの県もあり，特にこれといった傾向が見受けられません。図7－5Bには都道府県別の人口と平均寿命（男）の関係を示しました。人口が多い少ないにかかわらず，平均寿命はほぼ一定です。ここから，都道府県の人口は平均寿命に関係していないことがわかります。

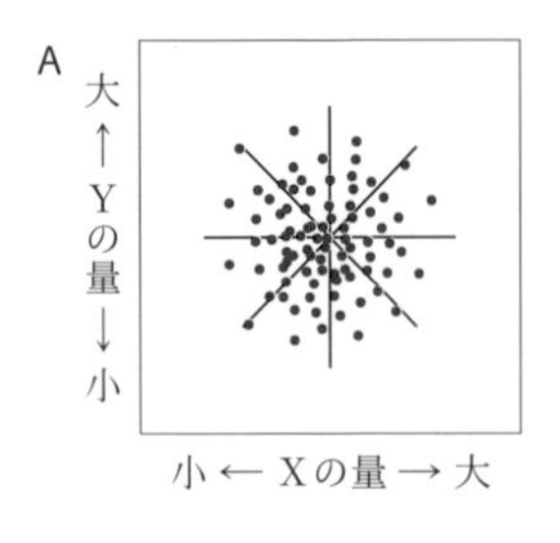

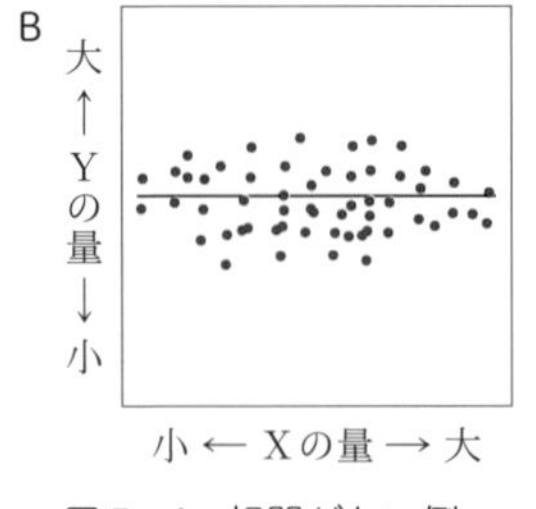

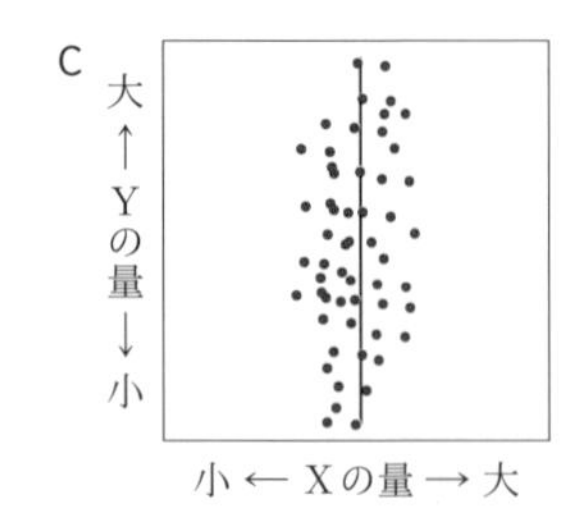

図7－4　相関がない例

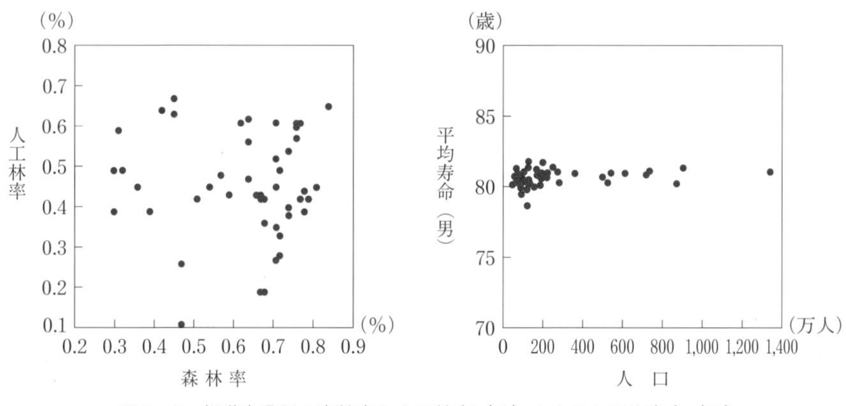

図７−５　都道府県別の森林率と人工林率（Ａ）と人口と平均寿命（Ｂ）

違和感があっても相関は相関

あらためて本章冒頭に出した，発砲事件を伝える２つのニュースについてふり返ってみましょう。銃の所有数と犯罪件数の間には「正の相関」がみられます。そして，魚介類の摂取量と犯罪件数の間にも「正の相関」がみられます。どちらも正の相関をもっており，「相関」という点だけに絞って見ると，この２つに本質的な違いはありません。それにもかかわらず，なぜ私たちのほとんどが，一方の相関には違和感を覚えず，もう一方の相関には疑問を感じてしまうのでしょうか。

大抵の人は，銃というものが，社会の中で誰にどのように使われ，どのような危険を持つものなのかを知っていますし，銃がからむ犯罪の情報をすでに耳にしているので，それに対する似たようなイメージも持っています。ですから，多くの人たちは説明を受けることなく，「銃」と「犯罪」という２つの言葉を聞いただけで，それらを簡単に結びつけることができます。一方で，私たちは魚介類のことをよく知っていますが，魚介類がからんだ犯罪の情報を耳にする機会はほとんどなく，そのイメージを持つ人もほとんどいません。よって，「魚介類」と「犯罪」という言葉を頭の中で簡単に結びつけることができません。この違いが違和感の有無となって現れていると考えられます。

相関は，単純に**２つのモノの量の関係を表すだけ**の言葉です。その間につながりや理由があるかないかは問いません。どのようなもの同士でも「片方の量が増えるともう一方の量が増える／減る」という関係が成り立てば，そこには「相関がある」といえるのです。仮にみなさんのスマホのデータ使用量とフランス国内のチーズの消費量が毎月同じように上下していたら，そこにはやはり相関があるといえます。

7-2　因果ってなんだろう？

因果とは「原因とそれによって生じる結果との関係」のことです。まさに原**因**と結**果**の関係を意味します。

２つの異なるデータの関係でいえば「一方のモノ・コトであるＸの量と他方のモノ・コトであるＹの量の間に明確なつながりやしくみがあるため，Ｘが変化する（あるいは，操作によりＸを変化させる）とき，それによってＹも変化する」ということ，言い換えれば，「Ｘの変化がＹの変化を引き起こすしくみがある」関係です。

具体例を見ていきましょう。日ごろからコンビニやスーパーで，お茶や水，ジュースなどの清涼飲料を買って飲む人は多いと思いますが，その量は月によって変わるでしょうか？　変わる場合，その量が多くなるのはいつでしょうか？　おそらく多くの人が，夏と答えるでしょう。１年を通してみると気温が高い月ほど清涼飲料を買う頻度が高くなると予想されます。

少し具体的に見てみましょう。図７-６はＸ市の月別平均気温（Ａ）と１世帯当たりの月別清涼飲料代支出額（Ｂ），およびその散布図（Ｃ）です。ＣはＡとＢから作ります（この図の作り方は第６章で学びましたね）。

この散布図からわかるのは，平均気温が高いほど清涼飲料の支出額が上がるということです。その理由も明らかでしょう。私たちは気温が高いほどのどが渇き，水分が欲しくなります。その頻度や量が上がるほど，清涼飲料の購入量が増えます。結果として清涼飲料の支出額が増えるわけです。つまり，気温が上がることを“原因”として，清涼飲料の支出が増えるという“結果”につな

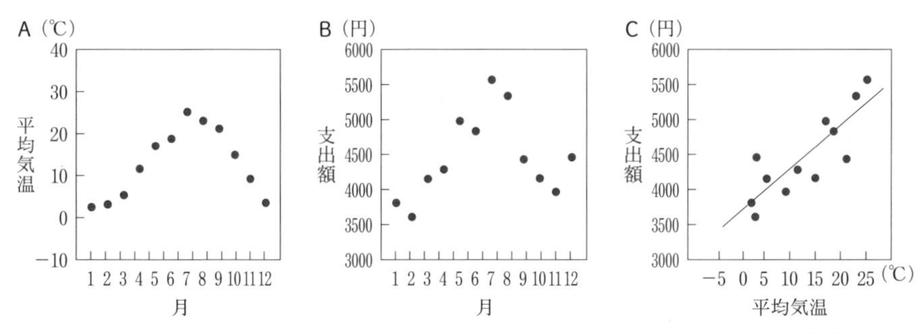

図７−６　Ｘ市における月別平均気温（Ａ），１世帯あたりの月別清涼飲料代支出額（Ｂ），散布図（Ｃ）

がる因果関係が存在していることになります。

別の例を見てみましょう。私たちの生活に欠かせないもののひとつにコンビニがあります。街中ではひしめくように多くのコンビニがある一方で，郊外ではコンビニを探してもなかなか巡りあえないこともあり，その店舗数は必ずしも多くなさそうです。そうした経験から「人口の多いところ」と「人口の少ないところ」では店舗数が異なると予測されます。そこで実際の都道府県別の人口とコンビニ店舗数の関係をプロットしてみます（図７−７）。この図から，人口が多いところほど店舗数が多いことがわかります。この場合も明確な因果関係があります。住んでいる人が多くなるとコンビニに対する需要が増え，その需要に応えるべくコンビニの店舗数も増えていく，という関係です。

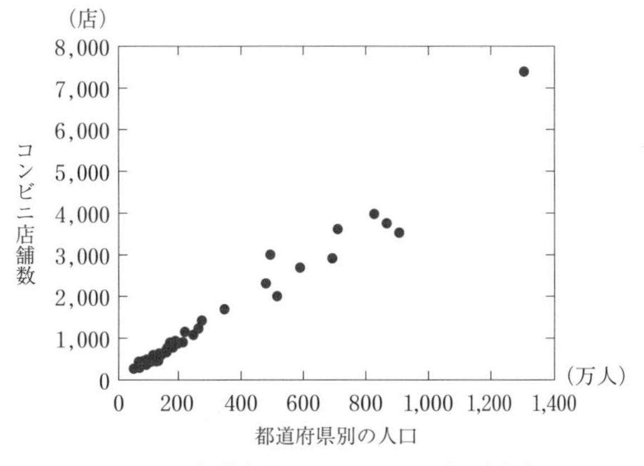

図７−７　都道府県別の人口とコンビニ店舗数

因果関係の特徴

因果関係がある2つの量の間には，次のような特徴があります。

①2つの量の間には相関がみられること

因果関係は2つの量を結びつけるつながりやしくみが存在する関係です。一方の変化によって他方の変化が生じるわけですから，そこには必然的に相関が生じます。気温が高くなるから飲み物が飲みたくなるわけであり，人がたくさんいるから多くのコンビニが必要とされるわけです。

②2つの量の間に時間的な順序関係があること

因果関係は一方が原因となって他方に結果が生じる関係であり，それが逆転することはありません。気温が高くなったことで清涼飲料の量が増えることはあっても，清涼飲料をたくさん飲むことで気温が高くなることはありません。コンビニが増えることで人口が多くなるということも，都道府県の人口レベルであれば，ないと言っていいでしょう。

7-3　相関は取り扱い注意！

相関と因果関係について例をあげながらみてきました。この節では改めてさまざまな**相関**について取り上げます。

7-2で2つの事がらに「因果関係」がある場合，それらの量の間には必ず「相関」が見られることを確認しました。では逆に，「相関」があるところに「因果関係」も必ずあるといえるでしょうか？　答えは「ノー」です。**因果関係があるところには相関はありますが，相関があるからといってそこに必ずしも因果関係があるとは限りません。**

相関の中には気をつけるべきものがいくつかあります。ここでは，その中から**疑似相関**，**バイアスにより生じる相関**，**因果関係が逆転した相関**についてみていきます。

疑似相関

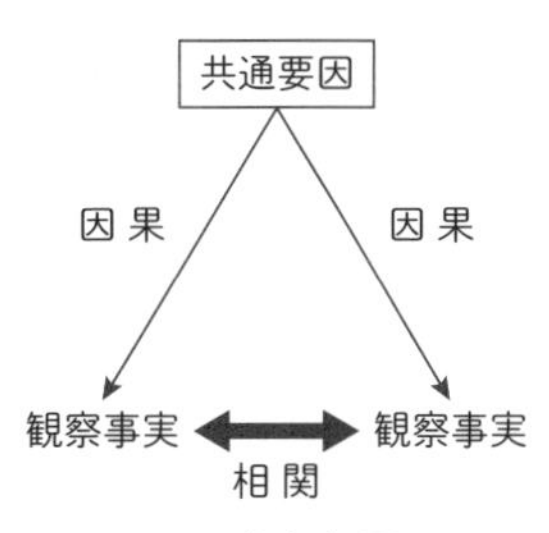

図７－８　疑似相関とは

疑似相関とは，２つの事実に直接的な因果関係はないが，背後に共通の要因があるために生じる相関のことです（図７－８）。例として，清涼飲料の消費量と水難事故の関係を取り上げます。両者の間には「正の相関」があります。清涼飲料の消費量が多いほど水難事故も多くなる関係が見られる，ということです。

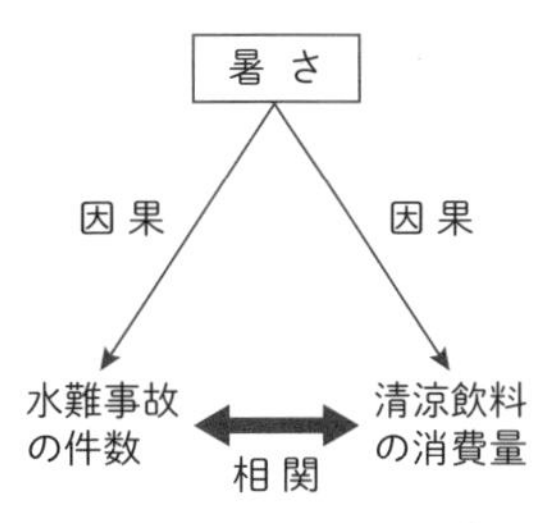

図７－９　疑似相関の例①

では，両者の間に因果関係はあるでしょうか？清涼飲料の消費量増が原因となって水難事故が増えるというつながりを説明するのは困難です。逆に水難事故の増加が原因となって清涼飲料の消費量が増えるというつながりを説明することも容易ではありません。直接的な因果関係はなさそうです。

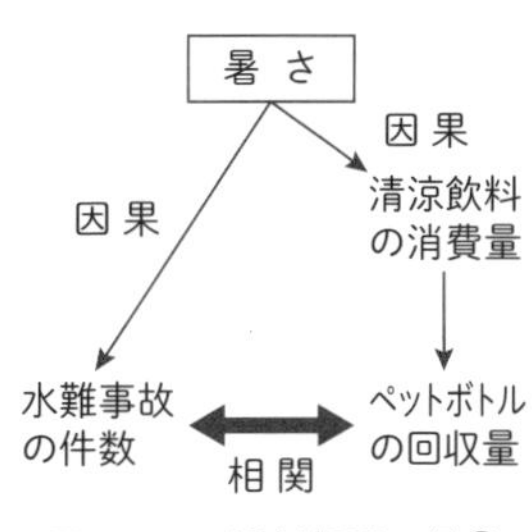

図７－10　疑似相関の例②

なぜこのような相関が見られるのでしょうか？実は共通の要因をもつことで直接的な関係性をもたない事象の間に相関が生じているのです。

この例の場合，共通要因として「暑さ」があります（図７－９）。暑い日は清涼飲料を多く飲みたくなります。結果として清涼飲料の消費量は上がります。一方，暑い日は海や川で遊ぶ人が増えます。結果として水難事故の件数が増えてしまいます。「暑さ」を共通要因として，それとの因果関係から，一方では清涼飲料の消費量が増加し，もう一方では水難事故の増加が生じているのです。

因果関係がいくつか連なった結果として生じる疑似相関もあります（図７－10）。例えば，ペットボトルの回収量と水難事故の間にも相関がみられますが，これも疑似相関です。清涼飲料の消費量が上がることでペットボトルの使用量が増え，その結果としてペットボトルの回収量が増えます。こうして水難事故とペットボトルの回収量の間にも相関が生じることになります。

本章冒頭でこけしちゃんが「アイスの売上げが上がると水難事故が増える」と恐れていました。これは「アイスの売上げと水難事故の間に因果関係がある」ととらえてしまったために出てきた恐れと考えられます。実際は暑さによる疑似相関で因果関係はありません。ですから，いくらアイスを我慢したところで水難事故を減らすことはできません。

バイアスにより生じる相関

バイアスとは「偏り」のことです。バイアスがかかることで，もともとないはずの相関が出てくることがあります。具体例で見てみましょう。体育を教えているA先生は，成績をひと通りつけ，合格した学生の得点データを散布図にしてみたところ，あることに気づきました（図7-11A）。ペーパーテストの点数と実技試験の間に負の相関があるように見えるのです。ペーパーテストの出来が悪い人は実技試験の点数が良く，ペーパーテストの出来が良い人は実技試験の点数が悪い，という関係です。A先生は軽く首をひねりました。

天は二物を与えずということなのでしょうか。いいえ，そういうことではありません。実は合格した学生のデータのみに着目し，グラフにしたところに問題があるのです。合格した人だけをピックアップしたことが「バイアスをかけた」ことに相当します。「合格した学生」という“偏った”データで傾向を見たことで生じた相関です。合格，不合格に関係なく，受講者全員のデータでグラフを作ると図7-11Bのようになりました。これを見ると，ペーパーテストと実技試験の点数の間には相関がないことがわかります。

これはうまく作られた話だとみなさんは思うかもしれません。ところが現実にも簡単に起こりうることなのです。例えば，飲食店で「ご自由にご記入ください」という形でアンケートをとるとします。この場合，お客さん全員が書いてくれるわけではないので，集まったデータには**「書いて出してくれた人」というバイアス**がかかることになります。よって，そのデータから何か相関がみえても，それは全てのお客さんに当てはまる相関かどうかはわかりません。

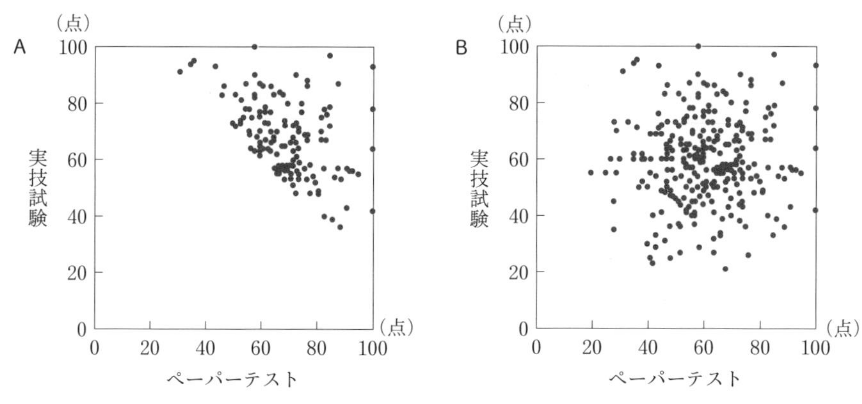

図７－11　ペーパーテストと実技試験の成績（Ａ：合格者のみ，Ｂ：全受講者）

サービス向上のヒントをアンケートから得ようと思う場合には，ぜひ留意しておきたいところです。

因果が逆転した相関

「出動する消防士が多いほど，火災の規模は大きい」「動物注意の標識が増えるほど，飛び出す動物が多くなる」「就職活動にかける時間が長いほど，なかなか内定がとれない」。いずれも確かに相関がみられる事例（「消防士の出動数」と「火災の規模」，「動物注意標識数」と「飛び出す動物数」等）です。しかし，３つの文はどこか違和感があります。

それぞれの文の前半と後半を入れかえてみましょう。「火災の規模が大きいほど，出動する消防士が多い」「飛び出す動物が多くなるほど，動物注意の標識が増える」「なかなか内定がとれない人ほど，就職活動にかける時間が長くなる」。さきほど感じていた違和感がなくなったのではないでしょうか。さらにつながりがハッキリするようにもう少し詳しく書き加えてみます。「火災の規模が大きいほど消火が困難になるため，消防士が多く出動する」「飛び出す動物が多くなるほど運転の危険が増すため，動物注意の標識が増える」「なかなか内定がとれない学生ほど活動期間が長くなり，就職活動にかける時間が長くなる」。いずれも前半が「原因」，後半が「結果」となり，因果の時間的関係がはっきりした，もっともらしい文になりました。

あらためて冒頭の例文を見直してみましょう。３つの文はいずれも，本来の「結果」が文の前半に，「原因」が文の後半に来ていることが分かります。文の前後関係はそのまま「原因⇒結果」という関係性と解釈されがちです。すなわち，冒頭の文への違和感は，文の前後関係から解釈した因果関係が，本来あるべき因果関係と逆転してしまったために感じたもの，と考えられます。

雑誌やインターネットの広告で「長財布をもつとお金持ちになれる！」といった宣伝文句をみかけることがあります。お金持ちほど長財布をもつ傾向がみられるという一種の相関に基づいたものです。この宣伝文句は「長財布をもつ（原因）」ことで「お金持ちになる（結果）」という因果関係に基づいています。しかし，この因果は逆転している可能性があります。実際は「お金持ちだから大金を持って歩くことが多い，よって長財布をつかっている」かもしれません。もしそうであれば，長財布をもったからといってお金持ちになれるとは限りません（逆は必ずしも真ならず，でしたね）。

相関のあるデータをみてその理由を考えたとき，因果関係が明らかな場合でも，言葉や文章にしたときに因果が逆転してしまうことがあります。また，それを逆転させた因果を意図的に利用して宣伝文句に使っていることも少なくありません。相関から因果を議論するときに，ちょっとでも違和感があるようであれば，因果を逆転させたものを考えてみて，その違和感が消えるかどうかをチェックしてみるといいでしょう。

混ぜるな危険

「相関」と「因果」の違いを理解しないままデータを分析すると，大きな判断ミスにつながる恐れがあります。ありがちなのは，２つの量の間に相関があると判断したとき，真実とは異なる因果関係を作ってしまうことです。例えば，全国の中学３年生を対象に「朝食を食べること」と「テストの点数」を調査し，図７-12のような結果が得られたとします。

どの科目も「朝食を食べること」と「テストの点数」には正の相関が見られ

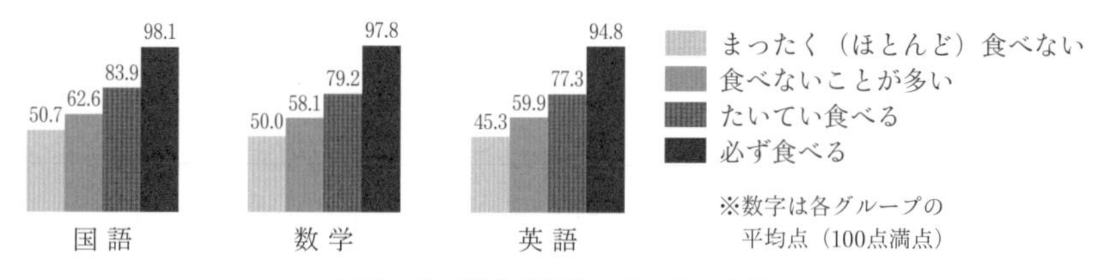

図７－12　朝食の頻度とテストの点数

ます（朝食を食べる頻度が高いほど点数は高くなっていますね）。

この図を見て，「そうか，朝食を食べるようにすれば，テストの点数が上がるんだな」と考えたとしたら要注意です。無意識に相関と因果を混同しているかもしれないからです。

朝食の頻度とテストの点数の間に因果関係がある場合，例えば，朝食を食べることで脳の働きに必要な栄養が取りこまれ，午前中から授業の理解度が上がってテストの点数も上がる，というつながりが明らかなら，「朝食を食べて成績アップを狙う」という考え方は間違っていないでしょう。

しかし，この相関は疑似相関かもしれません。例えば，「早起き」が共通する要因で，「早起きすることで朝食を必ず食べる」という因果関係と，「早起きすることで勉強時間ができる」という因果関係が生み出している相関かもしれません。あるいは「本人が規則正しい生活を送れる性格をもつ」や「親のしつけがしっかりしている」などが共通する要因なのかもしれません。朝食の頻度とテストの点数の関係が疑似相関であれば，そこには因果関係がないので，朝食を食べるようにしても，テストの点数があがることは期待できません。

結局，図７－12から分かるのは，朝食の頻度とテストの点数の間に正の相関がある，ということだけです。それ以外の情報が何も示されていないので，因果関係があるのか，疑似相関なのか，もっと

他の可能性があるのか，判断することはできません。

図7－12のように相関を示す図を見て，「そうか，じゃあ，こうすれば，こんな結果が得られるんだな」というように考えてしまった場合は，ちょっと立ち止まって，因果関係は本当にあるのか，自分で勝手に作っていないか，などと確認することが必要です。

専門家の意見にも要注意

人の話を聞いているときも，相関と因果を混同しないように気をつけなければなりません。特に，専門家，すなわち専門知識が豊富でその言葉に説得力がある人，の意見を聞くときには注意が必要です。専門家がある事例にみられる相関について解説しているとしましょう。因果関係については一言も触れずに数値データの特徴として相関があることを説明しています。こんな時，聞き手であるわたしたちは，専門用語や専門知識を交えた解説を聞いているうちに，勝手に因果関係を作ってしまうことがあります。これをやってしまうと，せっかくの専門家の解説が台無しになってしまいます。

ちゃんとした専門家であれば，相関と因果をきちんと区別して説明します。もし，相関だけが示されているデータを用いて因果関係まで述べたとするなら，それは専門家の意見であり，わたしたちはその説明をひとつの仮説として受け取らなくてはなりません。もし，その因果関係（仮説）の根拠がわからなければ，相手が専門家であっても「その根拠は？」と尋ねるのが科学的な態度です。

さらに，特に注意したいのは，“専門家”らしくみえる人の意見です。専門家は特定の分野のことは詳しく知っていますが，別の分野のことまで詳しいとは限りません。しかし，中には，自分の専門外の事にも意見を言いたがる（あるいは意見を求められる）“専門家”もいて，他での専門知識に基づいて，あたかもそれらしい因果関係があるかのように説明している方々も残念ながら存在します。

専門家であれ“専門家”であれ，彼ら／彼女らの意見に対しても，うのみにせず科学的思考をしっかり働かせながら話を聞くようにしましょう。

7－4　相関と因果を活用しよう

相関から因果関係を推し量る

前節で「相関と因果を混同しないように気をつけよう」と述べました。相関と因果を十分に理解し，混同する心配がなくなったら，次は相関から因果関係を意図的に推測する／作り出すトレーニングをしてみましょう。

レポートや卒業研究を始めるとき，題材の中に相関が見られるなら，そこにもっともらしい因果関係を推し量ることで課題を発見するきっかけになることがあります。例えば，興味がある分野のデータを眺めていて，そこに相関が見えてきたとします。その相関から因果関係のようなものがいくつか思い浮かべば，そこから研究活動が始められるはずです。思いついた因果関係は，研究で真偽を明らかにすべき仮説そのものだからです。

部活動やサークル活動でも使えるかもしれません。例えば，大学の体育会系のクラブで，以前よりも対外試合での勝率が上がる傾向にあり，かつ，他の都道府県出身者の割合が以前よりも高くなっているとしましょう。仮に因果関係があるとすれば，どのようなことが考えられるでしょう？他の都道府県出身者は運動能力が高いのかもしれません。いろんな人がチームに入ったことで作戦にバリエーションが出たのかもしれません。あるいは，一人暮らしの学生は練習時間が長く取れる傾向があるのかもしれません。このように，いろいろな仮説を立てることで，普段のトレーニング方法や試合での戦略，部員集めの方針，などに思わぬヒントが得られるかもしれません。

興味や関心があることの中に相関が見出せれば，「なぜそのような関係が生まれるのだろう？」と，因果関係を探ろうとする意識が働きます。そして，いろいろな可能性に思いを巡らせたり仮説を立てたりし，自分なりの考えを展開できるようになります。

社会人になっても，相関から因果関係を推測してみることで，さまざまなヒントを手にすることができるでしょう。社会の動きと個人の動き，社会の動向と自分が属する会社などの組織の動向，市場調査と商品の関係性などに注目し，相関を探し出しその因果をあえて見出そうとすることで，新たなニーズや販売戦略などの仮説が立てやすくなることが期待できます。

相関から因果を作ってみよう

本章のおわりに頭の体操も兼ねて，因果関係がない（と思われる）データを使って，因果関係を無理やりひねり出してみましょう。表7-1に，時間とともに増加／減少するデータを無作為に並べてみました。この表から適当に2つを選び，その間の因果関係を考えてみてください。例えば，「アメリカの最低賃金」と「ニホンウナギの漁獲量」を選んだとします。ここには「負の相関」がありますね。それらしい因果関係を考えてみます。例えば，「アメリカの最低賃金が上がったために食費に余裕が出て，日本食に関心をもつ人が増えた。そのため，ウナギが乱獲されて漁獲量が減った」。どうでしょう，それらしいですか？

できるだけ，それらしく見える因果関係を作ってみましょう。そうすると「なるほど，これを巧みに作られたら，証拠がなくても信じちゃいそうだな」と思えてきて，相関と因果「混ぜるな危険」の意味を改めて理解できるかと思います。また，それらしく見える因果関係をたくさん作っているうちに，「あれ，

表7-1　因果関係をつくってみよう

年	地球の平均気温（℃）	世界人口（億人）	アメリカの最低賃金（時給・ドル）	ニホンウナギの漁獲量（千トン）	日本国内における見合い結婚の割合（%）
1960	15.57	30.3	1.03	2.88	51.4
1970	15.61	36.9	1.59	2.86	37.4
1980	15.77	44.5	3.09	2.56	27.1
1990	15.94	53.0	3.66	1.27	14.0
2000	15.90	61.2	5.16	0.77	7.5
2010	16.10	69.1	7.22	0.36	5.2

もしかすると，こんな理由が考えられるのかもしれないな。だとしたら……」と検証に値するもっともらしい仮説が生まれてくるかもしれません。

相関がみられる物事を取り扱うニュースや記事はいろいろなところで見ることができます。そして，事実としては相関しかないにも関わらず，そこに因果関係まで含まれているかのようにみせているものも少なくありません。２つの量の関係性を述べているものを見たり聞いたりしたときは，そのまま受け入れるのではなく，相関と因果の違いを意識しながら科学的に考えてみましょう。そして，「あれ，これだけで因果関係があると言い切れるかな？」と思ったら，本章で学んだ疑似相関，バイアスがかかって生じる相関，因果関係が逆転している相関などを思い返し，相関を多面的にとらえるように心がけましょう。

■■■ コラム ■■■

“勝つ”と“カツ”？

「以前，試合の前に，家のダルマを３回なでなでしたら，試合に勝つことができた。それ以来，試合の前には必ず家のダルマを３回なでるようにしている」。このように，自分が体験したり，人から話を聞いたりした中で，「これをすると良いことが起きる」と信じて実行することを「験を担ぐ（げんをかつぐ）」と言います。これを相関や因果関係の観点から考えてみましょう。よく耳にするものは「カツを食べると試合に勝つ」のように，“勝つ”と“カツ”の掛詞から来る縁起を気にしたり，因果関係がなく偶然たまたまうまくいったことが誇張されたりしたものではないかと思います。

でも，本当に因果関係がないかどうかは実のところよくわかりません。ヒトがもつ思考，意識，感覚はとても複雑です。験を担ぐことで心理状態が変化したり，感覚が研ぎ澄まされたりすることはありうることであり，その結果，やろうとしていることが，いつもよりもうまくいくという流れが起きることが十分に考えられます。「験を担ぐ」は相関か？　因果か？　はたまた偶然か？　いずれ科学がその答えを出してくれる日が来るかもしれません。

第II部まとめ
ぐんぐん頭がよくなる科学的思考パズル

「ごめんね。わたし，頭の悪い人は嫌いなの。さようなら」

デート中の喫茶店で切り出された，いきなりの別れ話にA君の頭の中は真っ白になった。大学２年になってすぐにできた彼女に，たった３か月でフラれることになろうとは夢にも思わなかった。確かに頭の悪そうなことを言ったりやったりしてしまったような気もするが……。

真っ白だった頭の中も，ほんの少し落ち着きを取り戻しつつあり，ちょっとだけものが考えられるようになってきた。「このままではいけない。もっと頭がよくなりたい。何とかしなくてはいけないなぁ。でも，どうしたらいいのだろう」。A君はひとりでふらふらと街をさまよい歩いた。

気づくと書店の前にいた。そういえば大学に入学してから書店に来たことがない。そもそも教科書以外の本をまともに読んだ記憶もない。本を読めば，少しは頭が良くなるのだろうか。

書店に入り，ゆっくりと歩きながら，なんとなくぼんやり本棚を眺めていると『ぐんぐん頭がよくなる科学的思考パズル』というタイトルが目に飛び込んできた。「へえ，こんな本があるのか」。さっそく手にとり，「はじめに」を読んでみる。そこにはいろんなことが書かれている。

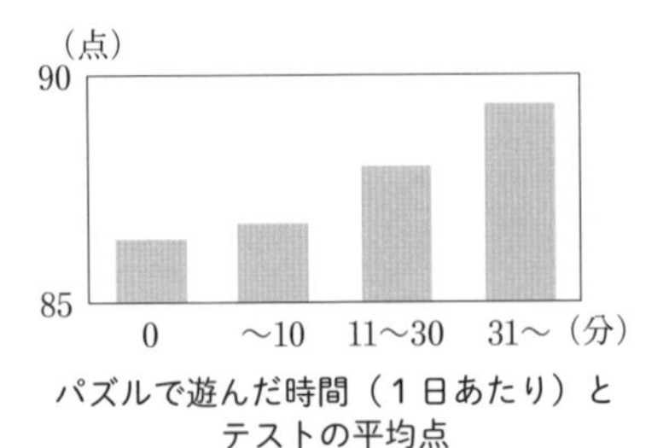

パズルで遊んだ時間（１日あたり）とテストの平均点

年齢に関係なく，何歳であってもパズルを解くと頭がよくなるらしい。何やらグラフが出てきた。全国の小学生を対象に調査したところ，パズルを解いて遊ぶ時間が長い子ほど学校の成績が良いらしい。Ａ君には小学生の頃，パズルで遊んだ記憶がほとんどない。

ページをめくると，今度は中学生の話だ。パズルを解くのが得意な子と苦手な子の数学と英語の平均点が出ている。どちらもパズルを解くのが得意な子のほうが点数が高い。数学の点数が高いのは何となく理解できるが，まさか英語の点数も高いとは！　英語が苦手なＡ君は大いに驚いた。

次は，とある高校生向けパズルクラブの話だ。市内の高校生が集まりパズルを解くことを競っているそのクラブでは，90％のメンバーが有名国立大学に進学しているとのこと。自分の高校でもパズルを解いて遊んでいる同級生集団がいたことを思い出したＡ君。「彼らと一緒になって遊んでいればよかった……」と軽く後悔した。

さらに20歳以上の人にアンケート調査をした結果も出ている。パズルを解くことが趣味という人を対象に「周囲の人から『あなた，頭いいね』と言われたことはありますか？」と尋ねたところ73.2％の人が「ある」と回答しているとのこと。なんということだ！

さらにページを進めると，パズルを解くとなぜ頭が良くなるのか？　について，脳科学的知見ということで何やら説明がなされている。ニューロン，シナプス結合，ドーパミン……専門用語がいろいろ出てきて，イマイチよくわからないが，なんとなく根拠がありそうだ。

「はじめに」を眺め終わったところで，Ａ君は何かを確信した。そして期待に満ちた表情で，その本を手にレジに向かっていった。

半年後。その書店に，またぼんやりと本を探しているＡ君の姿があった。

第Ⅲ部

つかう

人生の大きな選択に迫られたとき，どんなふうに決断しますか？生きているといろいろ迷ったりしますが，どのようにして決めればいいのでしょうか。実は，これまで何度もでてきた「仮説」がここでも重要になります。自分にとっての重要な決断を，なんとなくとか思いつきで決めてしまうと痛い目にあうこともあります。第Ⅲ部では，「仮説」がどのように決断に組み込まれているのか，立てた仮説をどのように役立てればよいのか，を学びます。これらを理解することで，最初の問いかけである，人生における大きな選択の場面でも根拠をもって決断できるようになります。

第 8 章

仮説で決める

8－1　無人島に流れ着いたらどうする？
8－2　意思決定における２つの仮説
8－3　仮説の選択が未来を決める
8－4　たくさん立てて，絞り込もう

無人島
無人島に持って
いくとしたら
何ば持っていくべ？
んだなやー
無人島では魚や
木の実を食べっぺ
から…
釣竿とかナイフ
かや？
いや…
腹痛薬だっちゃ
くすり
おらお腹弱いっちゃ
なるほどなやー

8－1　無人島に流れ着いたらどうする？

無人島問題

あなたは船で旅をしています。突然船が何かに衝突しました。今にも沈没しそうです。近くには無人島があり，そこに行くしかない状況です。今なら，船に積んである次の10点のアイテムの中から，３点持ちだすことができます。あなたなら何を選びますか？　沈没までの時間は迫っています。早く選んで逃げ出しましょう！（というつもりで，どこかに素早く３点メモってください）

①　ナイフ	⑥　ゴムボート
②　ライター	⑦　サバイバル教本
③　釣り竿	⑧　打ち上げ花火
④　ロープ	⑨　胃　薬
⑤　水１リットル	⑩　鏡

さて，船に乗っていたＡさん，Ｂさんは，それぞれ次の３点を選び，大急ぎで海に飛び込み，別々に無人島に漂着しました。

Ａさんの選択：釣り竿，ゴムボート，ナイフ
Ｂさんの選択：打ち上げ花火，ライター，鏡

２人の運命やいかに？

Ａさんの場合　漂着した次の日，Ａさんがゴムボートに乗って釣竿で魚を釣っていると，小型飛行機が近づいてきました。そこで，Ａさんは飛行機にむかって大声を出したり，釣竿をぶんぶんと何度もふってみたりしました。でも，飛行機からはまったく見えないのでしょう，あっという間に遠ざかって行きました。

Aさんは，魚を釣り，ナイフでさばき，食べながら救助を待ちました。ときどき遠く沖合を豪華客船が通過したり，上空高く旅客機が飛んだりする日もありました。そのたびにAさんは，釣竿をふったり，大声を出したり，ゴムボートをゆらしたりして合図を送りましたが，まったく気づいてもらえません。ただ，食料は豊富でいつでも魚を釣って食べることはできました。こうして1ケ月，1年，10年，……月日は流れ，Aさんは無人島で天寿を全うしました。

Bさんの場合　漂着した次の日，空腹のBさんが砂浜を探険していると，小型船がかなり沖合を通過しているのが目に入りました。そこで，Bさんは船に向かって，まずは鏡を使って太陽の光を反射させ，何度も合図を送りました。続いて，ライターを使って打ち上げ花火に火をつけ，打ち上げました。すると，乗組員の1人がこちらの合図に気づいて，船が近づいてきました。Bさんは，無事救出されました。

8-2　意思決定における2つの仮説

「無人島問題」はなんのため？

なんなんだこの問題は！　設定めちゃくちゃだし！　と思うかもしれません。でも，これは「意思決定」がどういうものかを考えてもらうためのストーリーです。多少無理があるのはお許しを。

意思決定とは「目的を達成するために1つのやり方を選択すること」です。無人島問題における意思決定は「生き残るために無人島へもっていくアイテム3点を決断する」ことで，ポイントは，変なものを選んでしまうと生き残れないかもしれない，でも，時間がない，という極限状況で決断を迫られているところです。

日常は意思決定の連続です。“挨拶”から“人生の大きな決断”まで，意識的であれ無意識であれ，自分で「こうしよう」と決断し行動します。ほとんど意識せずにできていることなので，「意思決定」について改めて学ぶことなどあるのか，と思うかもしれません。でも，ひとつひとつの意思決定があなたの未来に結びついています。意思決定がどういうものかを理解し，良い意思決定をする方法がわかれば，きっとより良い未来が得られるはずです。

意思決定と仮説

無人島問題の極限状況における決断は，普段私たちが意思決定を「何をどんなふうに考えて」行っているのか，わかりやすくあぶりだしてくれます。後ほど詳しく説明しますが，あらゆる意思決定には２種類の「仮説」が必要です。ここでは，無人島問題を具体的に考えることで，意思決定における２種類の「仮説」の必要性を理解してもらいたいと思います。

では無人島問題を振り返ってみましょう。ＡさんとＢさんは，３つのアイテムの選択をそれぞれどのように行ったのでしょう。まずは，Ａさんです。無人島漂着後のストーリーを読むまでもなく，Ａさんの選択を見てすぐに「魚を捕って食料を得るための道具を選んでいるな」と推測できたのではないでしょうか。釣り竿は魚を釣るため，ゴムボートは漁に出るため（食料確保の可能性を高めるため），ナイフは釣った魚を加工するため，と考えることができます。わかりやすいですね。

では，Ｂさんの選択はどうでしたか。打ち上げ花火，ライター，鏡の３つのアイテムを選んだという最初の情報だけでは，「ん？」となったのではないでしょうか。でも，その後のストーリーから，Ｂさんの意図ははっきりします。

打ち上げ花火も鏡も，離れた人に合図を送るための道具として使われています。ライターは花火に火をつけるためでした。もちろん，Bさんのアイテムは他の用途にも使えます。夜には花火をして遊ぼう，朝はやっぱり鏡を見なきゃ，とBさんは考えていたかもしれません。ですが，3つのアイテムの組み合わせから，Bさんが「離れた人に合図を送ろう」としていたと推論することは十分もっともらしいですし（☞第2章），ストーリーからも間違いなさそうです。

実は，ここまでの説明の中で，AさんもBさんもすでに2種類の仮説を立てています。もちろん，意識しないで立てているのですが，どんな仮説かわかりますか。

ひとつめの仮説……

3つのアイテムを選択するということは，「そのアイテムで目的を達成できる」と考えているということです。無人島問題における目的は「生き残る」ことですから，Aさんは「魚を捕る」ことで，Bさんは「救助を呼ぶ」ことで生き残ろうと，短い時間の中で考えていたことになります。「魚を捕る」こと，「救助を呼ぶ」ことが本当にできるかは，無人島に漂着してみないとわかりません。ですから，アイテム選択の時点では，「魚を捕る」，「救助を呼ぶ」ことで生き残れるというのは仮説でしかありません。未来のことだからわからないけれど，「これで生き残れるに違いない」と仮説を立ててアイテムの選択を**決断**したのです。

何かを決断する時には，その決断に直結し，決断が理にかなったもの，もっともらしいものだと自分自身を納得させてくれる仮説が必要です。魚を捕るための道具選択が理にかなっていると思えるのは，「魚が捕れる」と仮に決めるからです。人に合図を送るアイテム選択がもっともらしいと思えるのは，「救助が呼べる」と仮に決めるからです。

決断の仮説

このような決断に直結した仮説を**決断の仮説**と呼ぶことにしましょう。これ

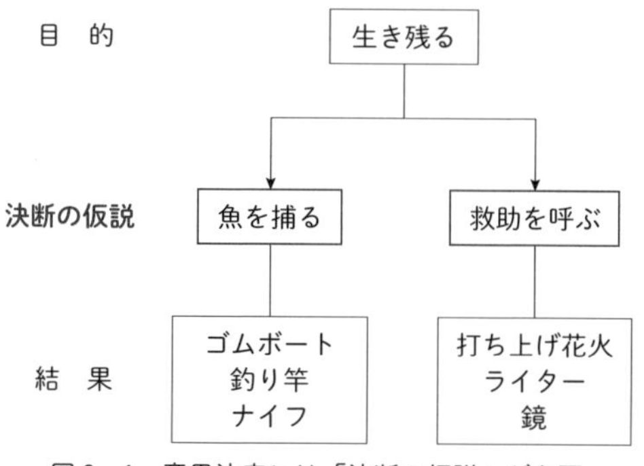

図8－1　意思決定には「決断の仮説」が必要

が，意思決定に必要なひとつめの仮説です。「決断の仮説」は，図8－1のように意思決定の「目的」と「結果（具体的なアイテム選択）」の間に挟まれる形で設定されます。もちろん，「決断の仮説」はあくまで仮説ですから，間違っているかもしれません。このストーリーでは，たまたま，Aさんの仮説も，Bさんの仮説も間違いではなく，2人とも生き延びることができました。

ふたつめの仮説……

意思決定には「決断の仮説」があることがわかりました。では，もうひとつの仮説はどういうものでしょう。極限状況の中でさらにもうひとつ仮説を考える時間などなかったのでは，と思うかもしれませんが，実は考える時間はほとんど必要としません。選択したアイテムのすぐそばに「決断の仮説」があったように，「決断の仮説」のすぐそばにもうひとつの仮説があります。

Aさんは，無人島で生き残るための「決断の仮説」として「魚を捕る」を選びましたが，この仮説にはAさんが前提として持っている，「無人島ってこんな感じ！」という「無人島のイメージ」があるはずです。Aさんのアイテム選択は「無人島で生き残るには，しばらく食料として魚を捕りながら生活せざるをえない」という想定のもとに行われていると考えられます。これにぴたりとはまる「無人島のイメージ」は，脱出することが難しく救助もなかなか来ないような「絶海の孤島」です。「絶海の孤島」と想定するからこそ，“魚を捕る”

ことで生き延びようという「決断の仮説」が設定できるのです。

Ｂさんはどうでしょう。同じように考えれば，Ｂさんの「救助を呼ぶ」という「決断の仮説」の裏には，「人と通信できる，自分がいることを人に示すことができる」という想定があり，これに合う無人島のイメージは，Ａさんと真逆です。島は，孤絶しているわけではなく，陸からそう離れていない，あるいは，船や飛行機が頻繁に近くを通るという「陸や航路に近い島」になります。無人島にこのようなイメージを持っているからこそ，これを前提として「救助を呼ぶ」という「決断の仮説」が立てられるのです。Ａさん，Ｂさんともに，「決断の仮説」を立てる際の前提として，それぞれの「無人島のイメージ」があります。これらは正しいかどうかはわかりませんから，あくまで「仮説」です。

前提の仮説

無人島のイメージのように，「決断の仮説」の前提として立てられている仮説を，**前提の仮説**と呼ぶことにしましょう。これが意思決定に必要なふたつめの仮説です。図８－２のように，「前提の仮説」は，意思決定の「目的」と「決断の仮説」の間に挟まれる形で設定され，「決断の仮説」を決めるための前提，枠組みとして機能します。異なる「前提の仮説」のもとで考えるからこそ，ＡさんとＢさんはまったく異なる「決断の仮説」を生み出し，その結果それぞれが選んだアイテムはまったく異なる組み合わせとなったわけです。

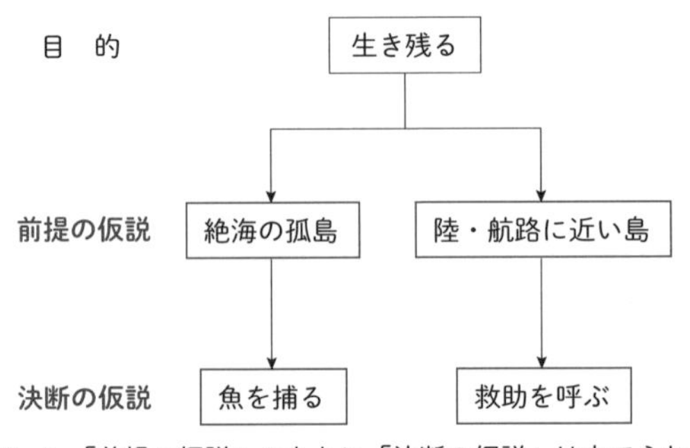

図８－２　「前提の仮説」のもとに「決断の仮説」は立てられる

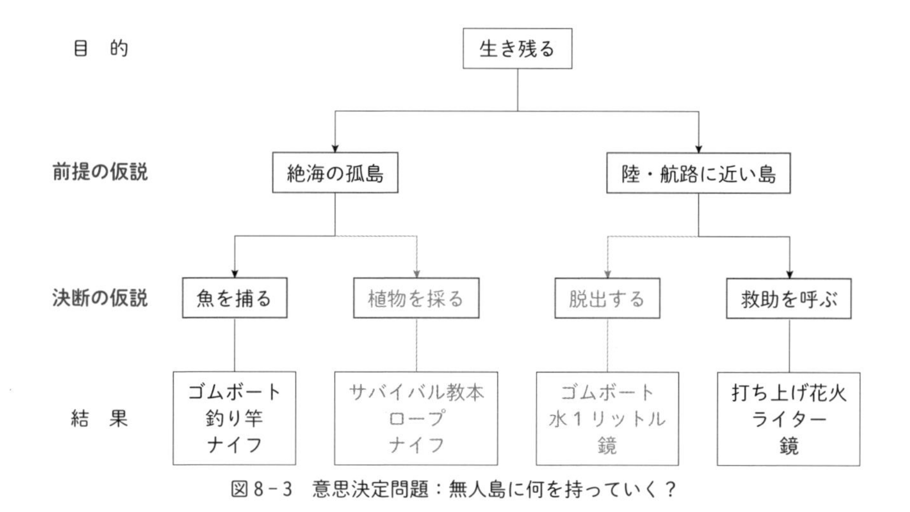

図8－3　意思決定問題：無人島に何を持っていく？

意思決定とは仮説を選ぶこと

意思決定には2種類の仮説，すなわち「決断の仮説」と「前提の仮説」があることがわかりました。図8－3に2種類の仮説がどのような関係にあるかを改めてまとめました。同じ「前提の仮説」のもとでも他の「決断の仮説」が立てられることを示すために，図8－3には，ストーリーにはなかった「決断の仮説」と，意思決定の「結果」のアイテム3点をそれぞれ足しておきました。

本節冒頭で，意思決定とは「目的を達成するために1つのやり方を選択すること」と定義しましたが，その具体的な思考プロセスは，「前提の仮説」のもとで「決断の仮説」を選択すること，あるいは「前提の仮説」と「決断の仮説」の組み合わせを1つ決定することということができます。

ここまでの説明ではわかりやすさを考えて，図8－3を下から上に向かって，意思決定の結果である「アイテム選択」から，「決断の仮説」へ，「前提の仮説」へという順で解説しました。ですが，実際の意思決定は上から下に向って進みます。Aさん，Bさんのケースでは，まず「無人島に行くしかない！何を持っていく？」という問題を理解し，引き続きそれを考える前提や枠組みとなる「無人島のイメージ」＝「前提の仮説」が頭の中にわき上がり，そのイメージに合った「生き残る方法」＝「決断の仮説」を思いつき，最終的に3つのアイテムを決定する，という流れです（これらのプロセスは，ほとんど同時に，一瞬で行われているかもしれません）。

結果よりもプロセスが大事

選択された3つのアイテムは，あくまで意思決定の“結果”でしかありません。結果よりも意思決定の“プロセス”の方が大事です。意思決定の結果を良いものにしたければ，このプロセスをより良いものにするしかありません。無人島問題を詳しく見ることで，このプロセスが2種類の仮説を決定することであることがわかりました。次節では，どのようにすれば意思決定のプロセスをより良くできるか考えてみましょう。

ちょっとそのまえに

さて，本章冒頭で無人島問題を出したときに，「あなたは何を選択しますか，メモってください」とお伝えしました。大切なのは，どのアイテムを選んだかという結果ではなく，アイテムの決定プロセスであなたが想定していた“2種類”の仮説です。Aさん，Bさんのストーリーと解説を参考に，アイテム選択の裏にあった，あなたの「前提の仮説」と「決断の仮説」を確認しておいてください。

8-3　仮説の選択が未来を決める

意思決定の仮説を確かめる

意思決定が，「前提の仮説」と「決断の仮説」を選択するプロセスであることがわかりました。ところで第Ⅰ部で，私たちは科学的思考が「仮説」を中心とした思考のループであることを学びました（☞特に，第1章図1-4）。このループは，意思決定における「仮説」を考える上でも役に立ちます。

意思決定の仮説でも，観察から仮説を立て，仮説から予測を行うところは同じです。無人島問題では，「船が沈没しそう」「3つのアイテムを持ちだせる」

という状況の観察から「前提の仮説」,「決断の仮説」を立てます。同じ状況を観察しても，Ａさん仮説，Ｂさん仮説のようにまったく異なる仮説が立てられるのは,「数字の並び問題」でも同じでした（☞第１章，第３章)。仮説から予測を導くところも同じです。無人島問題でのＡさん，Ｂさんそれぞれの「決断の仮説」に基づくアイテムの決定は,「魚が捕れる」や「救助が呼べる」という予測をしていることにほかなりません。

ところが，ここから先の，仮説を確かめるプロセスでは，科学的思考のループから少しそれていきます。そこで「数字の並び問題」での仮説の確かめ方を簡単に復習しておきましょう。「数字の並び」に関する仮説は，次に提示される数字が仮説により予測されるものと一致するかどうか，で確かめられました。このプロセスでは，同じくらいもっともらしい２つの仮説を立てたまま，次の数字が出てくるのを待つことができました。その上で，観察した次の数字が「証拠」だった仮説はもっともらしさが上がり,「反証」だった仮説は誤りが示されました（☞詳しくは第３章)。これに対し，意思決定における仮説では，異なる複数の仮説を同時に確かめるということが基本的に不可能になります。なぜでしょう。

無人島問題，Ｚさん登場

意思決定では複数の仮説を同時に確かめることができないことを理解するため，無人島問題に，新たにＺさんに登場してもらいましょう。これまでの,「Ａさん仮説」と「Ｂさん仮説」はともに，Ｚさんが思いついたものだと考えてください（Ａさん，Ｂさんは，Ｚさんが頭の中で設定した架空のヒトと考えてください)。

「数字の並び問題」ではふたつの仮説を両方持って，次の数字が出るのを待つことができましたが，無人島問題ではそうはいきません。アイテムは３つしか持っていくことができないからです。Ｚさんには,「絶海の孤島」と考えて「魚を捕る」アイテムを選択するか,「陸・航路に近い島」と考えて「救助を呼ぶ」アイテムを選択するか，どちらかしかありません。Ｚさんは,「Ａさん仮説」か，「Ｂさん仮説」かどちらかを選択するしかないわけです。

究極の選択

Ｚさんが，「Ａさん仮説」を選択すれば，島で天寿を全うすることになります。この時は「前提の仮説＝絶海の孤島」は間違い（航路に近い島だった），「決断の仮説＝魚を捕る」はもっともらしかったことがわかります。「Ｂさん仮説」を選択すれば，救助された日のうちに元の生活に戻ることになります。この場合は，「前提の仮説＝陸や航路に近い島」と「決断の仮説＝合図を送る」のどちらももっともらしかったことが確かめられます。Ｚさんはどちらかの仮説を選ぶことで，自分の未来を選択することになります。と同時に，どちらを選ぶにせよ，Ｚさんによって実際に確かめられるのは「選択された仮説」だけです。

意思決定における仮説の確かめられ方を図８－４に示しました。まだ意思決定していないとき（図８－４上部），無人島に関する情報がまったくなければ，どの「前提の仮説」「決断の仮説」の組み合わせを選択しても，それらのもっともらしさはみな同じです。

意思決定とは，「前提の仮説」と「決断の仮説」を選択し行動することです。図８－４下部では，この意思決定を「現実の観察」から「決定・行動」まで結ぶ実線ルートで表しました。これは，無人島問題では，アイテム３つをもって海に飛び込むということにほかなりません。この結果，無人島に漂着して「実際の無人島はどうだったか」，「選択したアイテムは役に立ったか」という新しい現実に直面して，初めて「選択した仮説」のもっともらしさが確かめられます（図８－４，「新しい現実⇒検証結果」）。

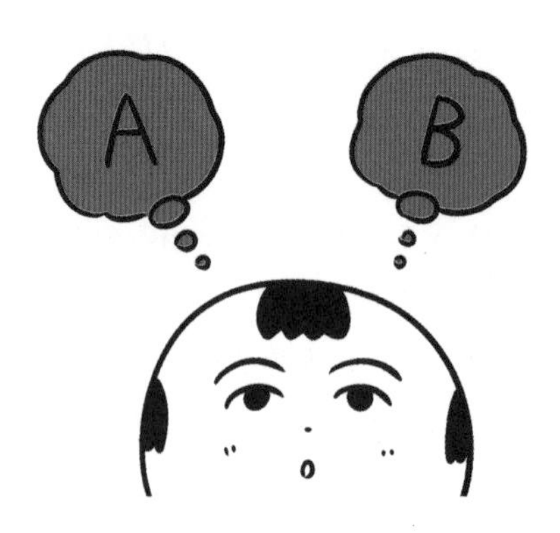

無人島に関する情報がまったくなければ，「Ａさん仮説」と「Ｂさん仮説」のいずれも，もっともらしさは同じです。

ですから，「エイヤッ」とどちらかの仮説を選んで，あとは運を天に任せるしかありません。しかし，少しでも無人島に関する情報が手に入るのであれば，それに基づいて，少しでももっともらしい仮説を選ぶべきでしょう。無人島問題における目的を「生き残る」と同時に「なるべく早く元の生活に戻る」と考えたとすれば，よりもっともらしい「Ｂさん仮説」を選択する方が，より良い意思決定だといえそうです。

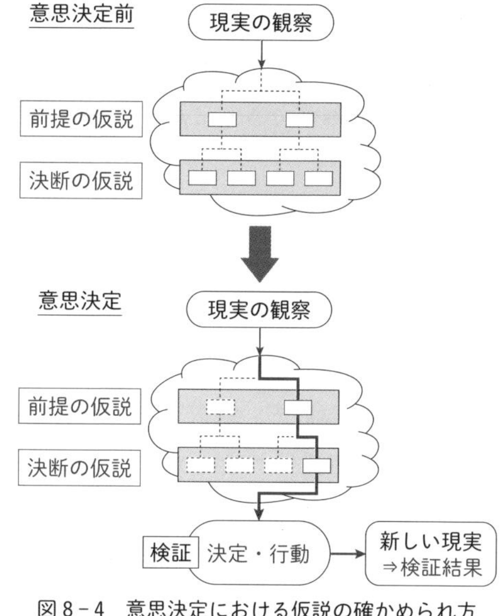

図８－４　意思決定における仮説の確かめられ方

第Ｉ部の例に見る意思決定のための仮説

科学的思考に関わるさまざまな仮説を第Ｉ部では取り上げましたが，実はその中には「意思決定のための仮説」と考えられるものも含まれていました。それらの例でも，「前提の仮説」，「決断の仮説」がちゃんとあって，仮説の「もっともらしさ」がより良い意思決定に大切であることを確認しておきましょう。

日常の挨拶の例は典型的な意思決定問題です（☞第１章）。この意思決定問題は「どんな挨拶をするか決定する」で，目的は「友人と良い関係を維持する」でよいですね。「前提の仮説＝友人は楽しい子」のもとで，友人が浮かない顔をしているのを見て，「決断の仮説＝友人に何かあった」に違いないと考え，「意思決定＝どうかしたの？」と声をかけました。友人が本当に何か悩みを抱えていたとすれば，「もっともらしい仮説」にしたがったあなたの声がけが友人の助けになるかもしれません。

七匹の子ヤギ達も意思決定をしていました（☞第３章）。ここで問題は「ドアの外にいるのがお母さんかを判断して，ドアを開けるかどうか決定する」で，目的は「安全にお母さんに会う」としてよいですね。「前提の仮説＝証拠が2～3つぐらい観察できればお母さんと判断できる」のもとで，オオカミの声色と白い足を観察して「決断の仮説＝お母さんだ！」と考え，「意思決定＝ドアを開ける」ことにしました。しかし，子ヤギ達の「前提の仮説」は間違っていたので，食べられてしまいました。

より良い意思決定とは

意思決定において，選択した仮説がもっともらしければ，その仮説の予測に近い未来が現実として得られることになるでしょう。逆に，仮説が間違っていれば，仮説が予測していた未来とはまったく異なる現実に直面することになります。「前提の仮説」と「決断の仮説」の組み合わせが複数ある場合でも，結局はどれか1組を選ばなくてはなりません。「未来」は1つしか選べないのですから。より良い未来を望むのであれば，もっともらしい「前提の仮説」と「決断の仮説」を立てられるだけ立て，そのうえで，より良い未来を予測する仮説を選択することが大切になります。

「決断の仮説」は「よし，こうしよう！」という意思決定に直結する仮説ですから，もっと良いものにしようと考えることは比較的容易かもしれません。一方，「前提の仮説」は，「よし，こうしよう！」という考えの裏に隠れているため，普段はあまり意識せず，なかなか気づけないものです。「前提の仮説」を間違えてしまえば，どれだけ良い「決断の仮説」であっても役に立ちません。ですから，普段なかなか気づけない「前提の仮説」を意識して考えることは，より良い意思決定にとって特に大切なことなのです。

8－4　たくさん立てて，絞り込もう

私たちが行う「意思決定」が「仮説を中心とした思考プロセス」であることを説明してきました。より良い意思決定には，よりもっともらしい仮説が必要

であることがわかりました。第Ⅰ部，第Ⅱ部で学んできた「科学的思考」は，もちろん「意思決定」を行う時に役に立ちます。そもそも科学的思考は，仮説を意識し，仮説の根拠をはっきりさせながら，もっともらしい仮説を得るためのプロセスでしたね。

本章で示してきた例のほとんどは，パッとの思いつきでなんとなく立てた仮説でした。無人島問題のＺさんも，無人島に関するデータは何も持っていないので，Ａさん仮説にするか，Ｂさん仮説にするかは運を天に任せて，サイコロでも転がすしかありません。ですから，選んだ仮説がたまたまもっともらしいものであれば良い結果につながり，間違ったものであれば悲惨な結果が待っている，ということになります。運を天にまかせる例だけではさすがに寂しすぎるので，ちゃんと考えればより良い意思決定につながる現実的な例を見ておきましょう。

最終面接直前，電車が止まる！

Ｓさんが，就職活動の最終面接に電車で向かっています。事故があって電車が目指す駅のだいぶ手前で止まってしまいました。今すぐタクシーを捕まえれば，面接時間に何とか間に合いそうです。Ｓさんは電車を降りてホームを走り出しました。駅前でなんとかタクシーを捕まえ，高いタクシー代を払い，最後は猛ダッシュで面接に間に合いましたが，到着は開始時刻ギリギリで息も整わず，面接は散々でした。

同じ電車に乗って，同じ面接会場に向かっていたＴさんは，大学１年生の時に「科学的思考の基礎」という授業で「意思決定」を学んでいました。事故で電車が止まった瞬間，Ｔさんもすぐに走り出しかけましたが，待てよ，「意思決定」では「前提の仮説」を考えることが大事だって言ってたな，と考えました。そして，Ｓさんがホームを走り出したちょうどその時，Ｔさんは「会社も鬼じゃないだろう……」とつぶやきながらホームに降り立ち，スマホを取り出しました。人事担当者に連絡して状況を説明すると，面接時間をその日の最後の枠に変えてくれました。時間が十分あったので，面接でしゃべることを復習しながら徒歩で面接会場に向かい，余裕をもって到着し，面接は思った以上によくできました。

まずは仮説を意識しよう

Ｓさんにとっても，Ｔさんにとっても，意思決定問題は同じ「面接会場へどんな方法で行くか」です。Ｓさんは「前提の仮説＝会社は予定通りに面接を行う」のもと，“今タクシーで向かえば間に合う”と判断し，「決断の仮説＝タクシーを捕まえる」として，「意思決定＝走りだす」という選択をしました。これは典型的な思いつきによる意思決定です。Ｔさんも「走り出したくなった」時は，Ｓさんと同じ思いでした。でも，仮説を意識できたおかげで立ち止まって考え直し，「前提の仮説」として「会社は臨機応変に対応する」を，「決断の仮説」として「事情を説明する」を選択し，「意思決定＝連絡を入れる」ことができました。

パッとの思いつきで済まさず，ちゃんと考えて仮説を増やし，そのうえでよりもっともらしいと思われる仮説を選択したＴさんの方が，より良い結果を得ていることがわかります（Ｓさん，Ｔさんがそれぞれ内定を取れたかどうかは，また別の問題です)。より良い意思決定のため，たくさん仮説を立てて，より良い未来を予測する仮説を選択しよう，というのが前節の結論でしたが，Ｔさんはこれを実践したことになります。

日常生活は意思決定の連続です。図８－５のように，その時その場の現実を観察することで得た気づきから，いろいろと仮説を立て，仮説が予測する未来を比較し，より良い未来を約束する仮説を選択する（意思決定)，さらにその決定にしたがって新しい現実が進行し，これにより「選択した仮説」のもっともらしさが確かめられ（検証され)，さらに新しい現実を観察することでまた新たに仮説が立てられ……，と日常は進んでいくわけです。

小さな取るに足らない意思決定（例えば，今日のお昼に何を食べるか？など）であれば，いちいち仮説を意識しているとキリがありませんし，多少仮説が間違っていても，それによって未来が大きく変わるということはありません。し

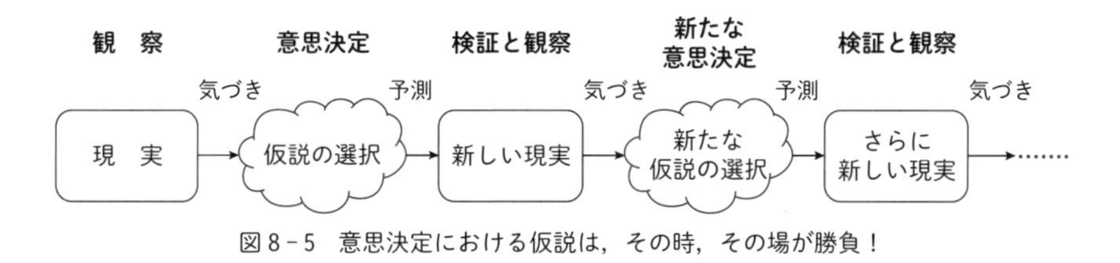

図８－５　意思決定における仮説は，その時，その場が勝負！

かし，もしその意思決定がとても重要で，選択する仮説によって予測される未来が大きく異なりそうな場合には，なるべくたくさんの仮説を考え，そのうえでどれにするかを決定することが本当に重要になってきます。

仮説は広げてから絞り込む

普段，意思決定はほとんど無意識にやっていることですから，意識的に仮説をたくさん考えることは決してやさしくはありません。でも，Ｔさんのように，ちょっとだけ仮説を意識して，他の見方ができないかな，と考えられるようになれば，しめたものです。それがたくさんの仮説を考える最初のきっかけになってくれます。

本章は，意思決定のプロセスと，良い意思決定とは何かを理解することで，仮説を考えるきっかけをみなさんに持ってもらうための章でした。次の第９章では，意思決定に必要な仮説をたくさん立てるための技術・コツがあることを，身近な具体例を題材に学びます。

たくさん仮説が立てられたら，それらの中からひとつの仮説を選択しなければなりません。そのためには，たくさんある仮説を評価し，よりもっともらしい，より良い未来を予測する仮説を選択する必要があります。第10章では，このための技術・コツを学びます。

すでにお気づきかと思いますが，第Ⅲ部では，第Ⅰ部，第Ⅱ部で説明したことのうちで特に強く関連する箇所を，☞記号で示しています。第Ⅰ部，第Ⅱ部の☞ポイントを振り返りながら，第Ⅲ部の各章を読み進めていただければと思います。

第 9 章

仮説を広げる

9－1　“気づく”ってなに？
9－2　仮説を生み出す現場
9－3　“問い”で縦に横にひろげよう
9－4　仮説をひろげた先に

なぜ?
今日は全然お客が来ないなや
まぐろ
たこ
いくら
雨がふってるからかや
それとも新しい店に人が流れてしまったのかや…
もん
もん
もん
はーついに今日は一人も来なかったっちゃ…
片付けすっぺ…
がうがう
はっ間違って定休日の看板出してたっちゃ
定休日

9-1 "気づく"ってなに？

第８章では，無人島問題を考えることで，意思決定の裏には必ず「前提の仮説」と「決断の仮説」があることが分かりました。無人島問題の設定では，船が沈むまでに時間がないという極限状況，また，選択肢が10点のアイテムに限定されていることから，想定できる仮説はそれほど多くなかったかもしれません。ですが，現実の問題はどんな小さな日常の意思決定であっても，さまざまな立場，さまざまな見方で考えることができ，それらに応じて「前提の仮説」と「決断の仮説」も多様なものを考えることができます。意思決定とは一組の「前提の仮説」と「決断の仮説」を選択することであり，これにより未来が決まっていきます。より良い未来を望むのであれば，まずは良い仮説をなるべくたくさん立てる必要があります。

「気づき」が仮説を生み出すというけれど

仮説を立てる原動力となるのは「気づき」でした（☞第１章）。上手に気づくことができれば，たくさん仮説を生みだせることになります。でも，「上手に気づく」ってどういうことでしょう。あなたは次のような経験をしたことありませんか？

> 授業は午前で終わり，いつもの仲間でお昼ご飯を食べに行こうとしています。今日はどこにしようか，といわれても自分ではなかなかアイデアが思い浮かびません。ところが，いつも「ここ，どう？行ったことないけど」と面白いアイデアを持っている友人がいます。しかも提案するお店は，めったにはずれはありません。この友人とあなたは何が違うのでしょう。

「ここ，どう？」という提案も，「お店を決めるという問題」を解決するための１つの仮説です。世の中には，なぜか「よく気づく人」，「たくさん仮説を立てられる人」がいるように思われます。これは，その人だけに天からなにか降りてくるのでしょうか？　まぁ，そんなことはないですよね。では，その人だけに仮説を生みだす特殊な能力が備わっているのでしょうか。

ある程度知識が必要であることは間違いありません。でも，ほとんど予備知識がない場合でも，的を射た面白いアイデアを素早く提案する人はいます。ゆっくり考える時間さえあれば何とかなるのでは，と思うかもしれません。でも，問題を解決するのにいつもたっぷり時間がかけられるわけではありません。良いアイデアを出そうとじっくり考えすぎると，タイミングを逃してしまうかもしれません。

実は，仮説を作るのに，特殊能力はいりません。ちょっとしたコツ・技術を知っていれば，仮説を生み出すことは可能です。また，慣れてくればそれほど時間をかけなくても仮説をたくさん作ることができるようになります。第９章では具体的な問題を想定し，その時の思考の働かせ方を分析することで，仮説を生み出すコツ・技術を明らかにします。

まずは，身近な問題で仮説を生み出す現場を取り上げ，どれだけたくさんの仮説が立てられるかを見てみましょう。

9－2　仮説を生み出す現場

アルバイト先を変えよう

あなたはアルバイトをしています。牛丼チェーンＡで働いていたとしましょう。職場は楽しく，お給料もそこそこもらえて，さして不満もなく続けていたのですが，ちょっとした人間関係から，アルバイト先を変えようと考えています。転職先はどこにしましょう。「すぐに思いつくのはライバルの牛丼Ｘかな。牛丼屋さんのオペレーションは慣れているし，Ｘの牛丼も結構好きだし……」。

日常の決断

これも意思決定問題の１つであることを最初に確認しておきましょう。私たちはアルバイト先を変えることを「意思決定」などと大げさには考えないかもしれません。でも，このような日常的な決断においても，やはり「前提の仮説」，「決断の仮説」が存在します。「牛丼Ｘ」という思いつきに基づいた意思決定における「前提の仮説」と「決断の仮説」を，無人島問題と対応づけて図９－１に示しました。牛丼Ｘの決め手は「オペレーションに慣れている」とみなしてよいでしょう。ですから，牛丼Ａでのこれまでの「経験を生かす」を「決断の仮説」と考えてよさそうです。では，「前提の仮説」は何でしょう。「すぐに思いつくのはライバルの……」と考えはじめていますから，ここで前提としているのは「牛丼Ａのライバル＝同業他社＝他の牛丼チェーン」です。ですから，これが「前提の仮説」といえそうです。

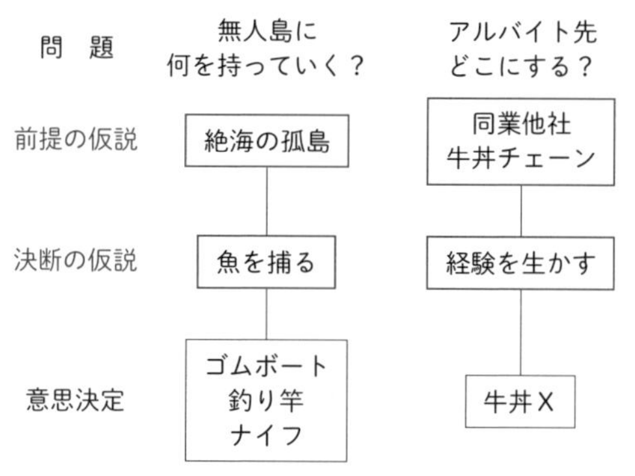

図９－１　意思決定には「前提の仮説」と「決断の仮説」がある

ぱっと思いついたアイデアの裏にもちゃんと「前提の仮説」と「決断の解決」が存在することがわかります。これらの仮説のもとでは，図９－２のように，牛丼Ｘの他にも同業他社のＹやＺを選択の候補として挙げることができます。意思決定としては，これで牛丼Ｘ，Ｙ，Ｚのお給料や忙しさなどを比較して，どこか１つに決めてしまってもよいわけです。

でも，さすがにこれではちょっとシンプルすぎますね。選択肢に牛丼チェーンしかありません。もう少し考えれば，もっといいアルバイト先を思いつくか

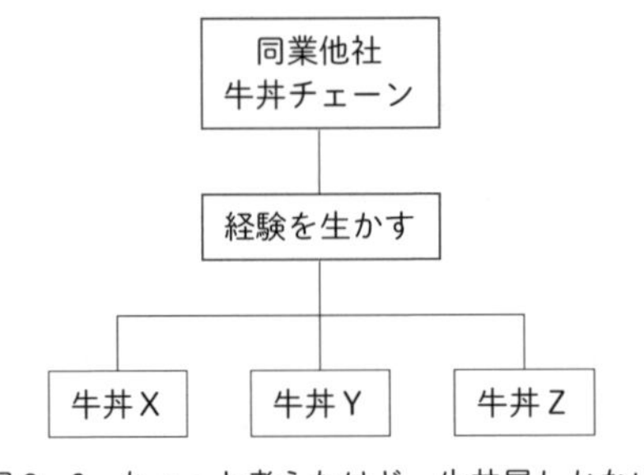

図9－2　ちょっと考えたけど，牛丼屋しかない

もしれません。牛丼チェーン以外を考えるには，牛丼チェーン以外の「前提の仮説」を立てることになります。そこで，まずはもう少し「前提の仮説」を考えて，転職先の候補を増やすことにしましょう。

「前提の仮説」を増やす

牛丼屋さんにこだわっているわけではないとすれば，選択肢は割と簡単に広がります。「同業他社」というくくりがあるわけですから，「異業他社」（という言葉があるかわかりませんが）を考えればよいですね。牛丼の異業種といえば，牛丼以外のものを出すお店を考えればよいでしょう。カフェ，ハンバーガー屋さん，ファミリーレストランなどが思いつきます。牛丼を含むこれらの業種は，「飲食業」としてひとくくりにできます。

図9－3にこれらをまとめてみました。「飲食業」を起点にして枝が分かれて広がっていくイメージになっているので，このような形を**ツリー構造**と呼びます（ひっくりかえってますけどね）。

「牛丼（同業他社）」という最初に思いついた「前提の仮説」の横に並べた異業種としてのカフェ，バーガー，ファミレスは，転職先を考える上でのそれぞれ別の「前提の仮説」となります。また，これらをひとつにまとめている「飲食業」は，「牛丼，カフェ，バーガー，ファミレス」という同列に並べられた複数の「前提の仮説」のさらなる前提となっています。ですから，「飲食業」は「牛丼，カフェ，バーガー，ファミレス」という「前提の仮説」よりもさらに上にある，あるいはさらに大きな枠組みとしての「前提の仮説」であると言えます。同列に並べられる複数の「前提の仮説」（ここでは，牛丼，カフェ，バーガー，ファミレス）は，それらに共通したさらなる「前提の仮説」によって，図９－３のような階層的なツリー構造を形成します。

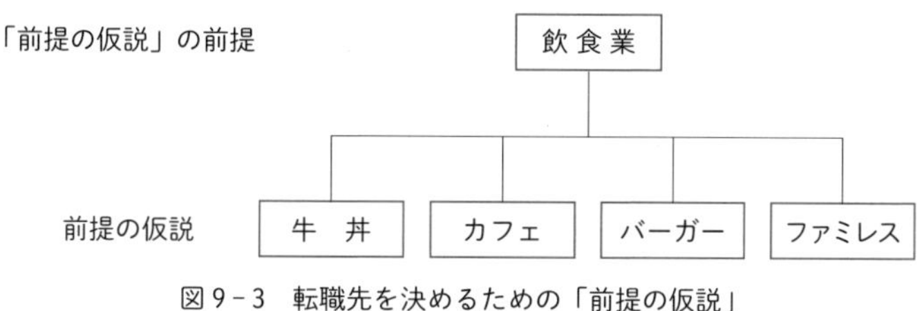

図９－３　転職先を決めるための「前提の仮説」

「前提の仮説」をさらに広げてみましょう。「飲食業」は大きなくくりとしては「接客業」に入るでしょう。飲食にはこだわらないけれども，お客さん相手のアルバイトがいいな，と考えるのであれば，「飲食業」以外の「接客業」を考えるとよいでしょう。例えば，「接客業」には，お客さんに物品を販売する「小売業」があります。小売業に含まれる具体例としては，スーパーやコンビニが思い浮かびます。おしゃれも好きなのでいっそアパレルでの接客も面白いかも，と考えれば，「前提の仮説」のツリーは図９－４のようにさらに広がっていきます。

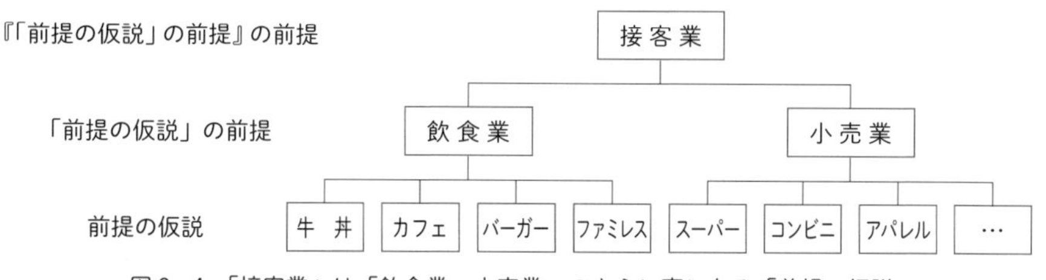

図９－４「接客業」は「飲食業，小売業」のさらに裏にある「前提の仮説」

塾講師，家庭教師も対面してサービスを提供するという意味では，接客業に近いと言えるでしょう。例えば大学で教職免許を取ることを考えているとすれば，将来につながってこれらもいいかもしれません。バイト情報誌などを参考にすれば，それまで考えもしなかったアルバイト先が見つかるでしょう。地域によっては季節ごとにいろいろなイベント，お祭り，行事などがあるでしょうから，季節限定の接客バイトもあるんだ，とか。肉体労働系は結構お給料いいな，接客業ではないけれど，普段なかなか会うことのできない人と知り合いになれるかも，とか。選択の幅はどんどん広がっていきます（図9-5）。

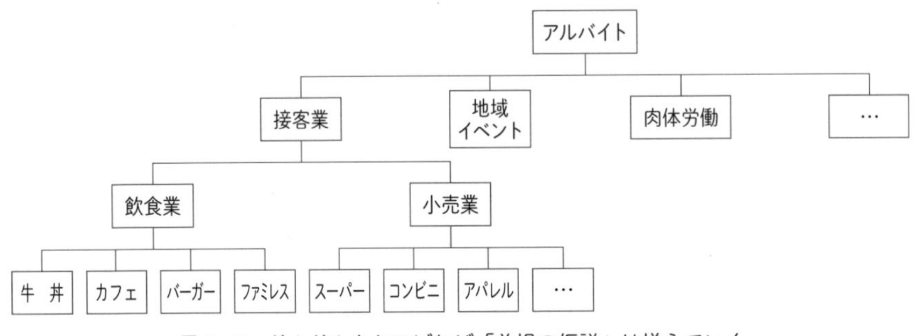

図9-5　どんどんさかのぼれば「前提の仮説」は増えていく

もともと「牛丼チェーン」という「前提の仮説」から，それはどんな前提に基づいているのか，さらに新しく出てきた「前提の前提」は，と「前提」をどんどんさかのぼる形で，「前提の仮説」のツリーは図9-5のように広がりました。図9-5で示されているそれぞれの四角は，すべて「前提の仮説」です。実際の意思決定問題において，私たちはさまざまな“前提”，“前提のさらなる前提”に基づいて考えています。ですから，「前提の仮説」を考えていくと，必ず図9-5のようなツリー構造が何段にも重なった階層的な構造を持つことになります。

そもそも，なんでアルバイト？

さて，たっぷり「前提の仮説」を考えて転職先の候補もずいぶん挙がりました。このあたりでどこにするか決めるのが普通かもしれません。が，ここで根本的な疑問がわいてきました。

あれ？そもそも，なんでバイト探してるんだっけ？

これまで“アルバイト先を考えよう”という最も根本的な前提のもとに考えてきたのですから，この疑問はすべてをひっくり返してしまう無意味なものと思うかもしれません。でも，せっかくなので，ちょっと考えてみましょう。

実はこの「でも」がとっても大事です。「無意味かも」「無駄かも」は，思考の枠を狭めてしまう考え方です。アイデアを広げることが今の目的ですから，考えてみるだけなら大した損はありません。当たり前だと思って疑いもしなかった「前提」を一度疑ってみることで，思わぬ道が開けるかもしれません。

別の視点で眺めてみよう

アルバイトの目的は，ふつうはお金を得ることですが，この枠組みをいったん棚に上げてしまいましょう。アルバイトにお金以外のどんな目的が設定できるでしょうか？

転職先の候補のひとつとして，肉体労働系のアルバイトを考えていたところに，ちょっとしたヒントが隠れています。いろいろな候補を挙げるときにこだわっていたのは「接客業」でした。大きな枠組みとしての「接客業」を設定することで，飲食業以外の接客業へと視野が広がりました。また，「接客業」というキーワードから，地域イベントやお祭り行事も接客業に近いものと捉え，さらにふつう接客業とは考えない肉体労働系のアルバイトも「普段なかなか出会えない人と知り合えるかも」と転職先候補に残しています。

自分に問いかけながらここまで考えを分析できれば，接客業へのこだわりは「新しい人との出会い」に結びついて，それが思考の裏にあると考えてよさそうです。「アルバイト」という最も大きいと思われていた「前提の仮説」のさらに裏に，「出会い」というさらに大きな「前提の仮説」が暗黙のうちに設定されていたようです。「出会い」というくくりをアルバイトのさらに上の階層に置けば，思考の幅は一気に広がります。地域コミュニティ，ボランティア団体，サークル活動，などなど。単純に「アルバイト」という枠組みで考えていたときとはまったく別の可能性が広がっていきます。

図９-６にここまでの思考の結果を示します（牛丼とカフェには，具体的なお店の選択肢もつけておきました）。アルバイト先の候補を挙げるため「牛丼」というたったひとつのシンプルな「前提の仮説」から出発しましたが，積み重ねてきた思考は「アルバイト」という枠組みを超え，「出会い」というまったく別

の視点からの枠組みを生み出し，「前提の仮説」のツリーはずいぶんと大きな広がりを持った階層構造へと発展しました。

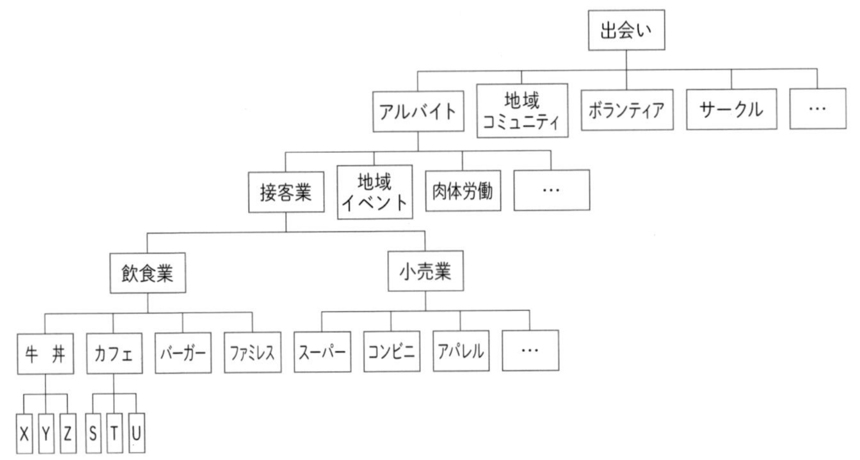

図9－6　アルバイト転職先を決めるための「前提の仮説」

「決断の仮説」も考えておこう

「前提の仮説」がツリー構造として十分広がりました。意思決定するためには，「前提の仮説」それぞれに対して「決断の仮説」を考えておく必要があります。「決断の仮説」はどのように考えて導けばよいのでしょうか。「前提の仮説」がたくさんあるから大変だと思うかもしれませんが，実はそれほど大変ではありません。先ほど，「前提の仮説」を導くときには，最初に思いついた「前提の仮説」を手がかりにして，ツリーをどんどん広げていきました。同じように「決断の仮説」でも，最初に考えついたものを手がかりにすることができます。

牛丼Xの時に思いついた「牛丼Aでのこれまで経験」は，「牛丼チェーン」全体に通用する「決断の仮説」です。最初の思いつきのところでは「Xの牛丼も結構好きだし」といっています。ここから決断の仮説を「牛丼愛」としてもよいでしょう。Xの牛丼がとりわけ好きであれば，それは「牛丼X」を選択するための「決断の仮説」になりますし，とにかく牛丼が好きなのであれば，

「牛丼愛」は牛丼業界を選択するための「決断の仮説」となります。

ここでわかることは，「前提の仮説」を選んだ理由が「決断の仮説」に直結しているということです。この考え方は，他の業種へも応用できます。例えば，アパレル業界を選んだとすれば「おしゃれに対する自分の想い」や「牛丼屋での接客経験を好きなアパレルで生かす」などと考えれば，「アパレル」を選択するための十分説得力を持った「決断の仮説」となりそうです。

新しい出会いを求めて「ボランティア団体」を選んだとするとどうでしょう。さすがにここでは，牛丼屋の経験や牛丼愛は，この団体の「決断の仮説」と結びつかないかもしれません。でも，「ボランティア団体」を候補とした理由，つまり「アルバイトにこだわっていろいろ考えたが，実は自分は『出会い』を求めていたことに気づいた」ということ自体が，強い「出会い」への思いを表していて，これが「決断の仮説」だと言われれば，十分説得力を持つように思えてきます。

9-3 “問い”で縦に横にひろげよう

特殊能力は必要でしたか？

ここで，９－１で示した疑問「仮説や気づきを得るのに，特殊な能力が必要なのか」に立ち返ってみましょう。図９－６を作り上げるのに特殊な能力を使ったでしょうか。そんなものは必要なかったですね。使用したのは言葉と筋道を立てた思考だけです。仮説の広がりは，パッと思いついた牛丼Ｘから出発し，それを手がかりにして自問自答しながら段階的に導き出しました。気づきは天から降ってくるものではありませんし，特殊な能力を使って得るものでもありません。気づきは，自分自身に問いかけ答えるという筋道を立てた思考によって紡ぎだされるものです。たくさんの仮説を立てるためのコツや技術とは，気づきを生み出す適切な「問い」なのです。

仮説を立てるプロセスを分析する

図9－3，図9－4，図9－5と少しずつ積み上げ建て増し，その結果できあがった図9－6の仮説ツリー全体をあらためて眺めてみましょう。大きく広がったツリーは，いくつかの「ツリーの基本三角形」（図9－7）で作られています。それをわかりやすく示したのが図9－8です。全体は①～⑦の基本三角形で作られていることがわかります。それぞれの基本三角形の頂点に「前提の仮説」が，底辺にはその「前提の仮説」でくくられる具体例が並びます。表9－1に①～⑦の基本三角形それぞれの「前提の仮説」と「具体例」をまとめました。

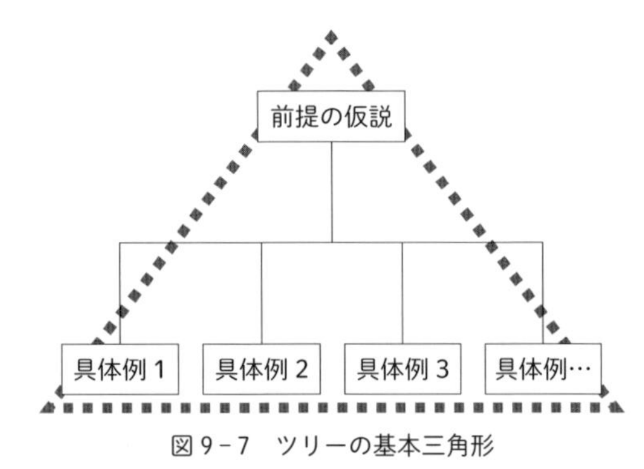

図9－7　ツリーの基本三角形

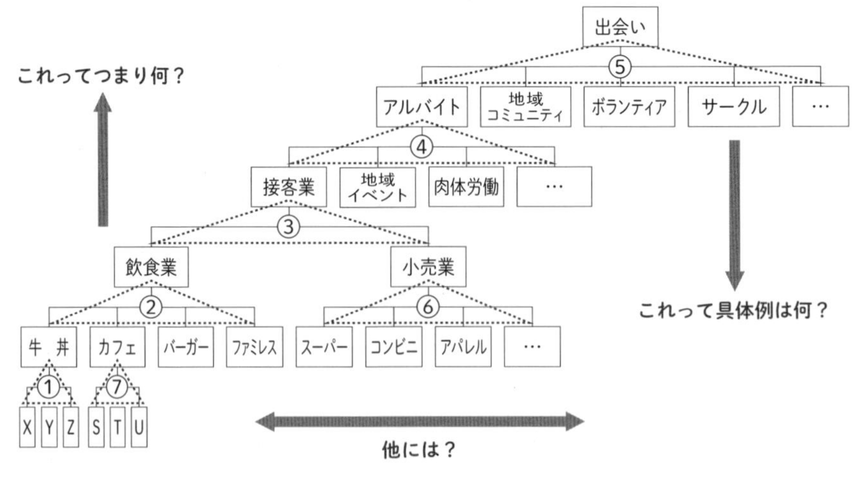

図9－8　仮説ツリーの中の基本三角形とそれらを生み出す問い

表９－１　基本三角形①～⑦の「前提の仮説」とその具体例

三角形	前提の仮説	問い	具　体　例
①	牛丼		X，Y，Z……
②	飲食業	←つまり	牛丼，カフェ，バーガー，ファミレス
③	接客業		飲食業，小売業，……
④	アルバイト	これって何？	接客業，地域イベント，肉体労働，……
⑤	出会い		アルバイト，地域コミュニティ，ボランティア，サークル，……
⑥	小売業	具体例は→	スーパー，コンビニ，アパレル，……
⑦	カフェ		S，T，U，……

「これって何？」という問い

表９－１は，それぞれの三角形の中で，「前提の仮説」と「具体例」は「これって何？」という問いで結ばれていることも示しています。ツリー構造を作り上げたときの思考の流れをおさらいしながら，「これって何？」という問いの意味を説明しましょう。

仮説ツリーの三角形を底辺から頂点に向かう，すなわち，具体例から「前提の仮説」を導くのは，「これってつまり何？」という問いです。例えば，三角形①では，具体例牛丼Ｘは，牛丼Ａの「同業他社，牛丼チェーン」というくくりでまとめられましたが，ここには「ＸとＡ，これってつまり何？」という問いが隠れていました。三角形②では，具体例「牛丼，カフェ，バーガー，ファミレス」から「これってつまり何？」という問いで「飲食業」を導きました。また，三角形③では具体例，「飲食業」からその前提の「接客業」を導き出しています。

逆に，仮説ツリーの三角形を頂点から底辺へ向かう，「前提の仮説」からその具体例を導くのは「これって具体例は何？」という問いになります。三角形①では「牛丼」という「前提の仮説」を導いた後，牛丼「これって具体例は何？」という問いかけで，牛丼Ｙ，Ｚを導きました。同じように，三角形③では「接客業」からそれに含まれる「小売業」を，さらに三角形⑥の「小売業」からそこに含まれる「アパレル」を導きました。

他の三角形でも同じように，上へ向かうときは「これってつまり何？」，下へ向かうときは「これって具体例は何？」という「問い」を発していたのです。

「他には？」という問い

「これって何？」は，ツリーを垂直方向へ上下するための問いですが，これに対し，ツリーを水平方向へと広げるために役に立つのが「他には？」という問いです（図９－８）。「他には？」は具体例に基づいて，他の具体例をさらに考えつくための問いです。具体例がたくさんあれば，ツリーが水平方向に広がって行きますし，具体例をまとめて「前提の仮説」を考えるための手がかりも増えることになります。９－２のストーリーの中でも，この問いは隠れた形で何度も出てきました。三角形②の「飲食業」に含まれる具体例を考える時は，牛丼の「他には？」という問いが隠れています。また，三角形④を作るためにアルバイト情報誌を見ることは，接客業の「他には？」という問いに手っ取り早く答えることにほかなりません。三角形⑦は９－２では触れていませんが，カフェについて，「これって具体例は何？」と考えればすぐに大手チェーン店が出てくるでしょうし，「他には？」と考えれば，いろいろなお店があなたの頭に思い浮かぶのではないでしょうか。

時には，ある階層に並ぶ具体例を増やそうと「他には？」と問いかけていたつもりが，まったく違う階層の「具体例」や「前提の仮説」を導くことになるかもしれません。でも，こうなればしめたものです。その思いつきの「具体例」や「前提の仮説」をツリー構造の適切な場所に配置することで，仮説のツリーはぐっと広がり豊かになるはずです。

「問い」は自由に使おう

「前提の仮説」のツリーを垂直方向と水平方向に広げる「問い」の働きをまとめましょう。「これって何？」はツリーを垂直方向へ，登ったり降りたりしながら，広げるための問いです。「これってつまり何？」と考えればツリーを上方向へ，「これって具体例は何？」と考えればツリーを下方向へ広げます。また，この具体例を導く上から下への問いは，基本三角形の底辺を水平方向に広げることもできます。

「他には？」は，ツリーのそれぞれの階層を水平方向へ広げる問いです。水平方向に仮説を増やす作業は，結果的にそれらを「さらにひとくくりにする」ための「前提の仮説（基本三角形の頂点）」を生み出す手掛かりにもなります。

垂直方向へ広げる「これって何？」と水平方向へ広げる「他には？」は，どちらが先でどちらが後か，というようなマニュアル的な順番があるわけではありません。もし，垂直方向で考えて行き詰まったのであれば，意識的に水平方向の問いに切り替えて，具体的なほかの事例を増やし，そのうえでもう一度垂直方向の「これってつまり何？」を問いかけてみましょう。暗黙のうちに設定していた「前提の仮説」があっさりと明らかになるかもしれません。

重要なことは，自分が今どちらの方向へ問いかけているのかを意識することです。意識的に問いを立て，一方向で行き詰まってしまったら，別の方向へ切り換える。この切り換えが自由にできるようになれば，暗黙のうちに設定していた前提を明らかにしながら，「前提の仮説」のツリーをどんどん広げることができるでしょう。

「決断の仮説」を立てるプロセスを分析する

9－2の「決断の仮説」を考えたところで指摘しましたが，「決断の仮説」は「前提の仮説」のもとで，特定のアルバイト業種や団体をなぜ選択するのか，その理由を考えることで明らかになります。例えば，図9－1の例では，「牛丼」というくくりの下で「牛丼X」に決定するのは「これまでの経験を生かす」という理由があったからです。「決断の仮説」の裏には，「なぜ？」という問いが隠れているのがわかります。

「なぜ？」という問い

図9－9は，「前提の仮説」から「なぜ？」を考えると，「決断の仮説」を導き出せることを示しています。前提の仮説を考えたのは「なぜ」か，自分は「なぜ」それを前提としていたのか，という問いに答えれば，おのずと「決断

の仮説」が導かれます。「牛丼」を選択したのは，「牛丼Ａでの経験があるから」です。同じ「牛丼」という選択に対し「なぜ？」と問いかけ，「牛丼Ａでの経験が，自分の中で牛丼への愛を育てたから」と考えれば，「牛丼愛」が決断の仮説となります。アルバイト先ではなく，ボランティア団体を選択した場合の「決断の仮説」も，図９－９右端のように，「なぜ？」という問いに答えることで導くことができます。

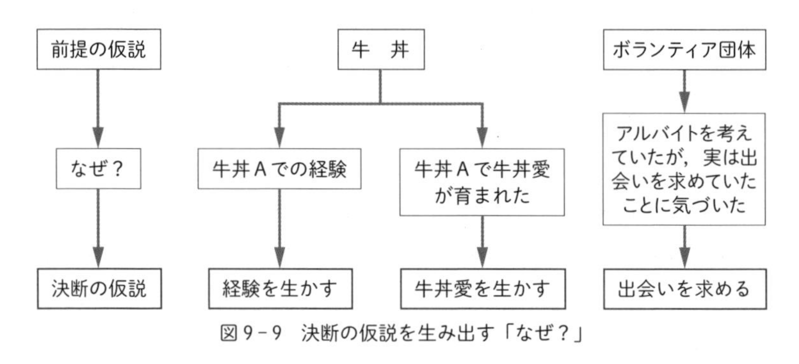

図９－９　決断の仮説を生み出す「なぜ？」

この節の最後に，第８章で紹介した無人島問題でも，「なぜ？」という問いかけができれば，より良い「決断の仮説」を導けたであろうことを確認しておきましょう。無人島問題では「ゆっくり考える時間がない」という設定でした。そのため「前提の仮説」を「なぜ」採用したのかを考える時間がなく，結果として，Ａさん，Ｂさんは「無人島」に対してそれぞれが持っている暗黙のイメージを「前提の仮説」として，「決断の仮説」を立ててしまいました。

後で登場したＺさんは，「Ａさん仮説」と「Ｂさん仮説」の両方を思いついていました。もし，そこで少しでもそれぞれの仮説の「なぜ」を考え，無人島を観察する時間があれば，どちらがより「もっともらしいか」を判断し，少しでも良いと思われる仮説を選んだことでしょう。もしかしたら，そこからさらにＡ，Ｂとはまったく異なる仮説を立て，ぜんぜん違うアイテムを選択した可能性もあったかもしれませんね。

9－4　仮説をひろげた先に

科学的思考とのつながり

「前提の仮説」を垂直方向へ広げる２つの問い**これってつまり何？，これって具体例は何？**と**推論**（☞第２章）との関係について触れておきましょう。

ツリーを上方向へ「これってつまり何？」を考える問いは，具体例からその共通項を導き出し，一般化してそれらをひとつにまとめる（分類，カテゴリーを考える）ということですから，「帰納的推論」にそっくりです。これとは逆に，ツリーを下方向へ「これって具体例は何？」と考える問いは，特定のくくり（分類，カテゴリー）に含まれる具体例を導く問いで，「演繹的推論」とよく似ています。私たちは，仮説のツリーを垂直方向へ広げる「問い」の基本を，第Ⅰ部ですでに学んでいたと言うことができます。

「決断の仮説」を導く「なぜ？」という問いかけの基本も，私たちはすでに第Ⅰ部，第Ⅱ部で学んでいたといえます。「前提の仮説を選択したのはなぜ？」という問いに答えるには，その選択の根拠や理由を誰もが納得できるもっともらしいものとして提示する必要があります。そのような根拠や理由は，誰もが共有できる論理，事実，データ，因果関係などに基づいていて，かつ説得力を持って説明されるべきでしょう。これは第Ⅰ部，第Ⅱ部を通して学んだ科学的思考そのものといってよいでしょう。

これらから，仮説ツリーを垂直方向へ広げる「問い」は，科学的思考と密接なつながりがあることがわかります。これは当たり前のことなのかもしれません。そもそも科学的思考は，もっともらしい仮説を生み出し選択するための思考法でしたから。身につけた科学的思考法を用いて，自分に「問い」かけ自分で答えることで，意思決定のための「前提の仮説」を考え，仮説ツリーを垂直方向に（結果的には水平方向にも）広げていくことができるでしょう。

仮説ツリーを水平方向に広げる「他には？」という問いの意味にも触れておきましょう。この問いは，「他に何かないかな」と探っていく探索的な問いです。探索にも論理が役に立ちます。例えば，「この場所（領域）は探したから，今度は別のあの場所を探してみよう」というように。ただ，「この場所（領域)」といっても，そこに含まれるすべての場所を探し尽くすことはできません。もしかすると，探し残したところにすごいアイデアが隠れていた，などということもあります。探索的な問いに対して，良い答えを素早く得るには，経験がものをいいます。

「他には？」といくら考えても全然アイデアが出なくなったら，自分とまったく違う経験をしてきた人，なんかあいつとはそりが合わないなという人などにちょっと相談してみると，目からうろこのアイデアを得られるかもしれませんよ。

どんどん問いかけよう！

仮説をたくさん立てる方法とは，結局自分自身への問いかけだということがわかりました。でも，それを理解したからといって，誰もが簡単に仮説を思いつけるかというと，そうはいかないのが現実です。実際に何かの問題に直面し必死で考えている場面で，意識的に「問い」を立てるのは，簡単なことではありません。普段からこのような思考にどれだけ慣れているか，これまでどれだけ実践し，どれだけ失敗し，どれだけ成功してきたか，という経験で差が生まれます。

この章の例でいえば，「アルバイト」という枠組みを外して「出会い」という枠組みを生み出すのは，そんなに簡単ではないかもしれません。しかし，これも「これってつまり何？」というシンプルな「問い」を発し，しっかり筋道立てて考えてみた結果，出てきた答えです。ここでも科学的思考はやはり有効なのです。

世界の中で考えるために

私たちが現実の世界で直面する問題は，ほとんどすべて意思決定問題だと考えてよいでしょう。意思決定問題とは，「あらかじめ正解がわかっていない問題」，「もしかしたら正解は１つとは限らない問題」です。

現実の社会で直面する問題，解決しなければならない問題には，あらかじめ正解が決まっているものはほぼありません。「なんとなく」意思決定をした結果，事態がとんでもない方向へ進んでしまい，その影響が戻ってきてあなた自身が窮地に立たされるかもしれません。だからこそ，仮説をたくさん立て，意思決定のための選択肢を増やす必要があるのです。

ビジネス，マーケティング，政策決定など，正解のない問題に日常的にシビアに直面している領域では，たくさん仮説を立てる技術はとても重要です。そのため，それらに関連して，仮説を生みだすためのさまざまな思考法が紹介され，多くの書籍が出版されています。ですが，それらのさまざまな思考法は，結局この章で紹介したシンプルな問い，「これってつまり何？」「これって具体例は何？」「他には？」「なぜ？」に行き着きます。

本章の学びで，たくさんの仮説を立てることができるようになりました。実際の意思決定では，どれだけたくさんの仮説を立てたとしても，それらの仮説を適切に評価し，現実の問題に対応したより良い仮説をひとつだけ選択しなければなりません。第10章では，たくさん立てた仮説を適切かつ効果的に評価し，絞り込む方法を学びます。

第10章

仮説をしぼる

10－1　“意思決定”ってなんだろう？
10－2　選択肢をふるいにかける
10－3　選択肢を比較する
10－4　“科学的”に決断するとは？

決断

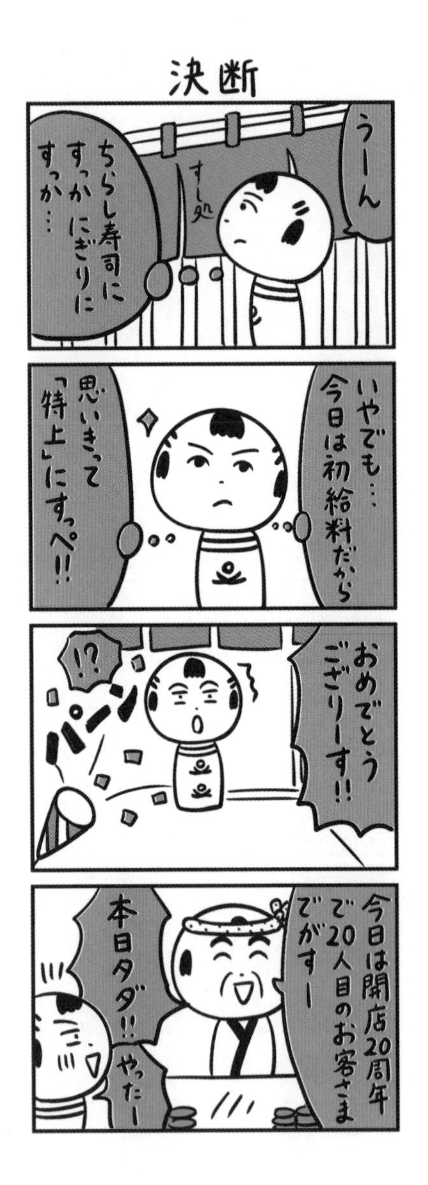

うーん
すし処
ちらし寿司にすっかにぎりにすっか…
いやでも…今日は初給料だから
思いきって「特上」にすっぺ!!
おめでとうござりーす!!
!?
パーン
今日は開店20周年で20人目のお客さまでがすー
本日タダ!!
やったー

10－1 “意思決定”ってなんだろう？

第Ⅲ部ではここまで，日常の意思決定においては「前提の仮説」,「決断の仮説」が必要となることをまず認識し，その仮説をできるだけ多く思いつくための方法を考えました。仮説が多いほどより良い意思決定につながります。

しかし一方で，意思決定による行動の結果が現実の状況に戻ってくるため，現実の問題ではいくつもの仮説を試せないという問題もありました。例えばお昼に何を食べたいか決断する場合を考えましょう。いろいろなお店やいろいろなメニュー，弁当や昼飯抜きなど，多くの選択肢（仮説）があります。しかし，カレーを食べて，ちょっと辛すぎたな，などと思っても，ラーメンでお昼をやり直すわけにはいきません。すでにお腹いっぱいです。

すなわち，現実の日常生活においては，仮説の検証とは決断して行動に移すことそのものと言えます。したがって，いくつもの仮説を検証するループを回すことはできず，多くの場合は**1回きり**，ということになります。現実の問題では，多くの仮説の中からひとつの仮説を選ばなくてはいけません。言い換えると，「決断の仮説」とは何かの問題に直面したときの選択肢そのものであり，多くの選択肢の中からひとつを選ぶことが意思決定です。

「意思決定」のために重要なこと

せっかく仮説を多く考えたのにひとつしか選べないのでは意味がないように感じるでしょうか。そんなことはありません。選択肢は多いほど可能性が広がります。問題は，その中からいかにしてひとつの道を選ぶか，というところにあります。いい加減に選んだのではせっかくたくさん作った選択肢を活かすことができません。しっかりと根拠のある方法によって選択する，これも“科学的”な姿勢のひとつといえるでしょう。人生を左右するような選択に迫られた時，どのように決断すべきなのでしょうか。

この章では，現実の問題に仮説思考を当てはめるため，第Ⅰ部とはうってかわって検証する前に仮説を絞り込む方法について考えます。どのように仮説を絞り込むか，すなわちいかにして意思決定するか，という問題です。

そのため，まずは何を考えて決めるべきか，意思決定の際に考えるべき要因をみていきます。次いで，選択するための手法を学びます。

10－2　選択肢をふるいにかける

何を考えて判断している？

多くの選択肢があった場合，どのように絞り込むのがよいでしょうか。第8章で考えた無人島問題においては，どのような無人島か，そこでどのように行動すべきか（無人島で生き延びるか，助けを呼ぶか）によって選択するべきものが変わりました。このことから，絞り込む場合には現在の状況や結果の予測など考えるべき項目があることがわかります。これを判断のための**要因**と呼ぶことにしましょう。では，どのような要因を考えるべきでしょうか。

そこで，私たちが日頃どのようなことを考えて決断しているか意識するため，次の“無料くじ”問題を考えてみましょう。

> 無料で何度でも引けるくじがある。確率99％で“あたり”が出て1万円もらえるが，確率1％で“はずれ”が出て，100万円払わなければならない。くじを引く回数は最初に決めなければならず，決めた回数は必ず引かなければならない。あなたなら何回引くと宣言しますか？
>
> ただし，くじは不正なく作られており，何度引いても“あたり”と“はずれ”が出る確率は変わらないものとする。

簡単には決断できないのではないかと思います。まずあれこれ考える前に，感覚で選んでみてください。何回にしましたか？　0回，1回など少ない数を選択した慎重派の方はいるでしょうか。あるいは30回，50回などちょっと欲張ってみますか？　それとも思い切って100回にして，100万円を狙いますか？

まずデータをきちんと把握しよう

では，根拠をもった選択のためにどうするべきか考えましょう。まずこのような確率的な現象を考えるとき頼りになるのは，**期待値**という考え方です。今回の例で言えば，1回くじを引いた時にどのくらいの儲けが期待できるか，という見込みの額です。これは，得られる（あるいは損する）金額に確率をかけて足し合わせることで計算できます。すると，この無料くじの期待値は，

1万円×0.99＋(－100万円)×0.01＝－100円

と計算できます（損する場合はマイナスとしました）。

この期待値の意味することはなんでしょう。くじを引くたび平均的には100円損する，ということになります。何回も引くと100円×回数分損します。これでは1回も引かない方が良いように思えますね。でも改めて考えると，1回引いたところではずれる確率はほとんどないので，1，2回引いても大丈夫じゃないか，という気もしてきます。

実は，期待値は実際の結果と一致するとは限らないものです。くじを引くたびに100円を支払うことはないわけで，期待値通りになる，というのはそもそも間違いであることはわかりますね。期待値の性質は，試行回数が多くなると次第にその値に近づくということです。回数が少ない場合は，期待値があまり参考にならないこともしばしばあります。

では，実際に何回か引いた時にはずれを引く確率がどれだけあるか見てみましょう。図10－1は横軸がくじを引く回数，縦軸がはずれがr回でる確率を示しています。r＝0のグラフは，はずれが0回，つまりずっとあたり続ける確率で，

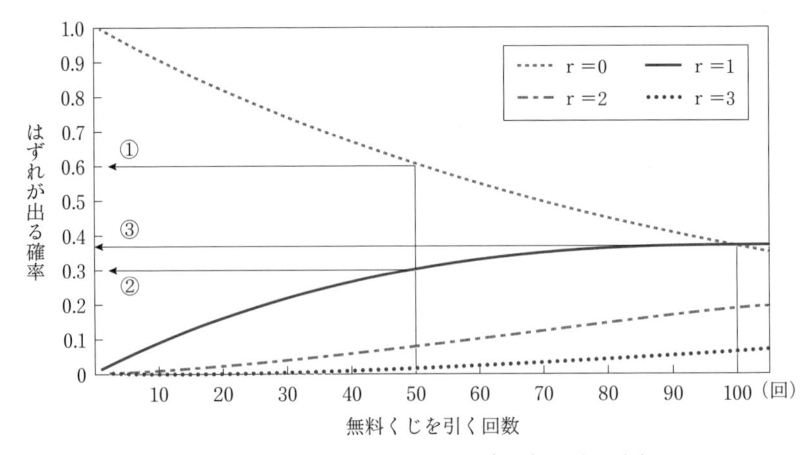

図10－1　無料くじを引く回数とはずれがｒ回出る確率

引く回数が数十回となっても他のｒ＝１，２，３，すなわちはずれが１回，２回，３回出るよりずっと高い確率であることがわかります。例えば50回引いた場合，およそ６割の確率であたり続けます（①）。また，ｒ＝１のグラフを見ると，１回だけはずれる確率は３割程度にすぎません（②）。

さらに回数を増やすと，くじを100回引いたところでようやく“はずれ０回”と“はずれ１回”が同じ程度の確率となり，どちらもおよそ３分の１です（③）。つまり，くじを100回引いた場合，３分の１の確率であたり続けて100万円の儲けとなり，同じく３分の１の確率で１回はずれて99回あたりで１万円の損となります。このくらいならチャレンジする価値があるかもしれません。ただ，残りの３分の１の確率で２回以上はずれを引くことになるので，損する額が大きくなります。

さて，このグラフを踏まえると何回くじを引きたくなるでしょう。最初に感覚的に決めた場合から，期待値や確率のデータを見ることで判断が変わったという方も多いのではないでしょうか。このように，判断する際には**データや情報**が１つの要因となります。

自分のおかれている状況は？

このようなデータ（確率の計算）に加えて，さらに判断に影響する要因があります。自分の所持金を仮定して考えてみましょう。所持金として1万円だけ持っている場合と1,000万円もの大金を持っている場合，それぞれ判断はどうなるでしょうか。

最初から大金を持っているとお金を増やすメリットが相対的に小さい一方で，借金をする危険も小さいことになります。したがって大金を持っている場合は少しくらい冒険してみよう，という気分になるかもしれません。逆に所持金が少ない場合は，何回かあたりを引くことで所持金が数倍に膨らみますが，一度でもはずれを引くと大きな借金になってしまいます。あたってもはずれても影響が大きいですが，今すぐに欲しいものがある場合はその分をくじで稼ぎたい，と思うかもしれません。つまり，自分の所持金や必要となる金額など，現在おかれている資産**状況**も，判断する際のもう1つの要因です。

好みは人それぞれ

くじを引くという同じ問題に対して，たとえ所持金などの状況がまったく同じであったとしても，人によって判断は違うかもしれません。結局のところ，データや資産などの前提条件からは明確に何回がいい，という結論は導き出せません。判断の要因の最後に，自分の価値観が加わります。借金が嫌いかどうか，少しでも儲けたいと思うか，現状維持がいいかなど，人によって違いうるものです。

簡単な例では，レストランで料理を選ぶ場合，食事にかける金額が似た人であっても違うものを選ぶことが多いでしょう。この場合，別の要因である「データ」は料理の味や価格ですので，これも人によって違いはありません。単なる好みによって判断が変わってきます。

つまり，判断には，人それぞれの**価値観や好み**といったものが含まれることになります。これが3つめの要因です。さまざまな条件が同一でも人によって判断が違うことは当然であり，異なる判断は間違いである，などとは言えないのです。

要因の3グループ

ここまでに挙げた要因を分類すると，決断の際には「データ・情報」，「状況」，「価値観・好み」の大きく3つのグループが存在することがわかります。これらは中山健夫著『京大医学部で教える合理的思考』(日経ビジネス人文庫，2015年) で紹介されている言葉を使うと、**Evidence (証拠・データ・情報)**，**Resources (人・物・金・時間などの資源)**，**Values (価値観・文化・傾向)** に対応するでしょう。意思決定の際にはまずこの3グループの要因をもとに考えましょう。

無人島問題の例にあてはめると次のようになります。

Evidence：航路から近いかどうか，魚がたくさんいるか，……
Resources：体力，知識，技能，……
Values：空腹は嫌，早く脱出したい，危険なことはしたくない，……

要因でまず絞り込む

判断するための要因が出揃ったら，それだけで捨てられる仮説も出てきます。例えば，時間がなくて不可能な選択肢や，価値観に絶対的に反する仮説は，どんどん捨てて絞り込むことができます。

無人島問題で言えば，体力や技能に自信がない場合はサバイバルの道は早めに切り捨てて助けを呼ぶ手段を探る方が良いでしょう。逆に，航路から遠い絶海の孤島の場合は脱出するより生き延びる道を探るほかありません。このように，要因ごとに絞り込んでいくと仮説を捨てることができます。

したがって，意思決定（＝仮説の絞り込み）の第一段階は，判断のための要因を挙げていくことです。意思決定しようとしている問題に関わるデータや資源，価値観について判断の要因となるものを明確にし，仮説をふるいにかけていきましょう。

しかし，要因に基づいて切るべきものを切ってもまだ多くの仮説が残る場合があります。そのような場合はどのようにするべきでしょうか。次節でその方法を考えましょう。

10－3　選択肢を比較する

迷ったらトレードオフの状況かも

無料くじ問題では，所持金やデータだけでは，なかなか絞り込むことができませんでした。その理由は，どの選択をしても良いところもあれば悪いところもある，という点にあります。くじを引く回数が少ない場合，損をする確率は小さいですが儲けも小さくなります。くじを引く回数が多い場合は，大きい儲けが期待できますが，損をする確率も大きくなります。くじの場合はできるだけ損をする危険は小さく，儲けは大きい方が良いのですが，この2つは両立しません。

このような，「一方を追求すれば，他方を犠牲にせざるをえない」という状況を**トレードオフ**と呼びます。日常ではこのような場面によく出くわします。選択に迷った時は，大抵このトレードオフの状況になっていると考えて良いでしょう。日常での例を下に挙げます。

- 食事：おいしいものを食べたい vs 食費を安くしたい
- アルバイト：収入を増やしたい vs 自由時間を確保したい
- 就職活動：たくさんエントリーして可能性を広げたい vs 1つ1つの企業を深く知りたい
- 将来設計：便利な場所に立派な家を建てたい vs 趣味や遊びにお金を使いたい

いかがでしょうか。食事の例をさらに詳しく見ると，レストランのメニューで豪華なステーキを選ぶか雑炊で済ませるか，さらには外食にするか自炊にするかなど，いろいろな場合にトレードオフの関係があり，選択に迷います。言い換えると，判断の要因を揃えても捨てられない仮説が複数残る，ということです。

トレードオフでの判断方法

トレードオフの状況になった場合，どのように選択するのがよいでしょうか。ここでも筋道立てて考え，根拠のある選択をする方法を考えましょう。

トレードオフの場合，選択の要因のすべての面で優れている選択肢はありません。ある選択肢は，ある要因では優れているものの別の要因では劣っている，ということになります。そこで，さまざまな要因の評価を組み合わせて判断することが必要です。どれか単独の要因で決めてはいけません。

評価を組み合わせるため，要因ごとの評価は明確に比較できるものにしましょう。◎，○，△，×などの記号で評価するのも1つの方法ですが，点数を付けて数値で比較する方がよいでしょう。これにより，各要因の点数を足し合わせ，総合得点で評価することが可能になります。

点数化することには，シンプルである以外の利点もあります。要因ごとに重みをつけられる，ということです。例えば，すべての要因を10点満点で評価したとして，それを単純に足し合わせて決断する方法をすぐに思いつくかもしれません。ですが，実際には決定の要因は平等に扱うべきではありません。重視するべき要因もあれば，軽く見てもいい要因もあり，重みに違いがあるのです。

これは，例えば昼食を決定する場合でいえば，所持金がさびしい場合は味の良さよりも価格を重視して選ぶ，というようなことです。つまり，10-2で要因のグループとして挙げたResourcesを重みの部分で考えることもできます。同様に，グルメなので多少高くても味が良いものを選びたい，といったValuesも重みづけに含めることができます。

表10－1　トレードオフにおける選択のための評価表

選択肢／要因					重み
総合評価					

トレードオフでの判断方法の実践

では，いよいよ第9章で広げたアルバイトの選択でトレードオフにおける決断を実践してみましょう。点数化するために，表10－1のようなものを用意します。

第9章で広げた全ての仮説を比較するのは大変なので，単純化して一番下の階層だけ抜き出して判断することにします。飲食業で接客のアルバイトをすることは決定済みで，あとはどの店にするか，だけの問題というわけです。

表10－1の1行目には選択肢を入れていきます。牛丼屋，カフェ，ハンバーガー屋，居酒屋，などです。そして左端の列には判断の要因を入れていきます。時給，場所，勤務時間，仕事のきつさ，賄いの有無，などが考えられるでしょう。「出会い」も目的とする場合はこれも判断の要因となります。10－2の要因の3グループを意識して挙げていきましょう。

要因を埋めたら，重みもここで入れておくとよいでしょう。お金が目的であれば時給を大きめに，楽に働ける範囲にしたい場合は勤務時間や仕事のきつさ，などを大きめの数字にします。例えば，時給を8，場所を3，のようにして表に入れていきます。先に述べたように，ここでは所持金などの状況や価値観も考慮に入れます。

あとはどんどん表に点数を入れていきましょう。こうして評価を実践してみたのが表10－2（重み1）です。**総合評価**は，要因ごとの点数に重みをかけた

表10－2　飲食業のアルバイトを例にトレードオフにおける選択を実施したもの

選択肢 要　因	牛丼屋	カフェ	ハンバーガー屋	居酒屋	重み1	重み2
時　給	6	6	6	8	8	5
場　所	8	5	9	3	3	3
勤務時間	2	5	7	1	2	4
仕事のきつさ	5	6	5	3	5	2
賄いの有無	5	5	3	8	3	8
出会い	5	5	5	5	4	3
総合評価1	136	138	143	134		
総合評価2	127	132	134	138		

※あくまで一例であり実在の店舗などを想定したものではありません。

ものを合計することで計算できます。例えば牛丼屋の場合は，６×８＋８×３＋２×２＋５×５＋５×３＋５×４＝136です（ちょっと大変ですが足し算と掛け算だけなので頑張って計算しましょう）。それぞれ計算した結果が，「総合評価１」です。牛丼屋136点，カフェ138点，ハンバーガー屋143点，居酒屋134点で，最終的に総合評価が一番高いハンバーガー屋を選択するのがよい，ということになります。数値化することにより明確な評価ができました。

少し詳しくみると，最も重視している「時給」の面では居酒屋の評価が高いことがわかります。もし，１つの要因だけで判断する場合はこちらを選択することになるでしょう。居酒屋は「賄いの有無」の点でも高評価ですが，「勤務時間」や「仕事のきつさ」，「場所」，の項目で点数が低かったことがわかります。遅い時間にきつい仕事をするほどには高い時給を求めていない，ということになるでしょう。

もし，重視すべき項目が違う場合はどうなるでしょうか。少しずらして重みが違う場合の表も加えました（重み２）。「賄いの有無」を重視して，「仕事のきつさ」や「時給」を小さめにするなど変更したところ，「総合評価２」のように居酒屋が138点でトップとなりました。時給などの客観的な指標が同じであっても，重視する項目が違う場合は結果も異なることがわかります。皆さんもぜひアルバイトを選ぶ気持ちになって表を埋めてみてください。

判断後の振り返り

トレードオフの状況では，評価の段階で重みづけをすることが必要でした。これは，決断を実行する目的を見つめ直すことにもつながります。お金を稼ぐためなのか，実は出会いを求めているのか，といった価値観は重みづけに現れるのです。

第９章で実践したように，仮説はさまざまな考え方で広げることができました。それに加えて，このような評価を行うことで自分が重視しているところが明らかになり，新たな選択肢を見つけることにつながります。一度決断したらやり直しはできませんので，できるだけ多くの選択肢を用意して比較・判断するようにしましょう。

今回は飲食業のアルバイトの選択肢のみで判断しましたが，数多くの選択肢を比較する場合には，すべての選択肢を一度に比較することは難しくなります。第９章で出てきた牛丼屋，ファミレス，カフェ，コンビニ，スーパー，塾講師，家庭教師，……などの具体的な選択肢の比較で混乱してしまったときには，上の階層に立ち戻って考えるのも１つの手です。その場合は，上の階層でアルバイト，ボランティア，……の選択をまず行い，アルバイトと決めたら次に接客，運輸など業種で絞り込み，というように上から順番に比較するのが１つの方法です。すなわち，今回実践した一番下の階層の判断は最終段階ということです。もちろん，重視する要因によっては，飲食業の牛丼屋と小売業のコンビニで比較する，というように階層ごとに絞り込まない方が良い場合もあります。この場合は重視する要因で高得点のものを選択してから絞り込むなどの工夫をすると良いでしょう。

10－4 “科学的”に決断するとは？

現実の判断は科学実験より難しい

現実の世界ではトレードオフの状況が頻繁に生じます。じっくり検討したいところですが，実際にはいつまでも判断を待ってはくれません。アルバイトを決めかねているうちに他の人に決まってしまい求人がなくなることもあるでしょう。また，昼食の決定に時間をかけすぎると昼休みが終わってしまいます。したがって，限られた時間にデータを集め，できるかぎりもっともらしい仮説を立てる（筋道の立った判断をする）必要があります。

トレードオフでの判断を日頃から実践していると，限られた時間の中でより効率的に決定できるようになります。このような姿勢は「科学的」ではありますが，実際の「科学」とは違うところです。自然現象が起こる原理は不変なので，仮説を立てて検証するのにどれだけ時間がかかっても構いません。また，何度でも試すことができるため，間違っていればまた新しい仮説を立てればよいのです。

ここで「科学的」に日常の決断を行う時より良い判断ができるよう，改めて振り返ってみましょう。10－2で考えたように，まず判断の際にはその要因となるものを考えます。この際，Evidence，Resources，Valuesの3グループを意識しましょう。この時点で不可能であったり，明らかに劣っているものについては捨てて絞り込むことができます。

残った選択肢については，簡単には絞り込みにくい状況にあるため10－3で示したようなトレードオフでの判断方法を用いて比較することになります。要因ごとに点数で評価し，重みをつけて集計することで最終的に1つの選択肢に絞り込むことができます。

意思決定における注意事項

トレードオフでの判断方法を実践してみてどのように感じたでしょうか。同じ業種でもお店の場所や勤務時間が変われば判断が違ってくるのは当然ですが，勤務条件などの外的な条件が一緒でも，自分のおかれている状況や自分の価値観により判断が変わりうることが実感できたのではないかと思います。表10－2は一例として埋めましたが，重みや点数が自分とは違う，ということも多いでしょう。ですから，何より重要なのは，現実世界での選択には誰にでも正解と言えるものはなく，自分自身で決断しなくてはいけない，ということです。自分自身がちゃんとした根拠をもとに判断したのであれば，（結果それが期待通りにならなかったとしても）それが正しい選択だったと言ってよいでしょう。

また，人が違えば判断が変わるのと同様に，状況が変わった場合には判断をやり直す必要があります。例えば，表10－2で居酒屋は場所の評価が低いのは，通うのに不便な場所にある，などの結果です。もし家から近く働きやすい場所に居酒屋ができた場合は評価が逆転するかもしれません。時給が変化したり，働く時間が変わったり，さまざまな変化に応じて判断のやり直しを迫られます。

現実の世界では判断を待ってくれない一方で，状況が変わった場合には判断をやり直さなくてはならず，両立させるのは難しいものです。そのため，トレードオフの判断の際には，短期的な状況の把握に加えて長期的な予測も必要となります。進学や就職など，1つの選択がその後の長い期間に関わる場合には，現在の状況だけ見て判断するのでは不十分です。長期的な予測も含めてデータを集め，今後の変化を考慮した上で決断することが重要です。

安易な意思決定モデルの限界

トレードオフの状況での判断は，多くのデータを集め，さまざまな要因を考慮しなくてはならず，手間のかかるものではあります。そのため，簡単な意思決定モデルを考えたくなります。しかし，安易な方法にしたがって決断しようとすると，一見うまくいきそうでも大きな間違いを引き起こす可能性があります。

例えば，意思決定モデルのひとつに「最大多数の最大幸福」というものがあります。これは，誰か特定の人が利益を得るよりも，多くの人が幸福になる選択を目指すべき，という考え方です。一見うまくいきそうに思われますが，多数派の利益のために少数派の利益を犠牲にすることが常に正しいのか，よく考えなくてはいけません。例えば，空港，高速道路，ダムなど公共のものを作るために個人の家や土地を取り上げるのは，簡単に結論を出していい問題ではないでしょう。

また，別の意思決定モデルに「予防原則」といって，環境や人の健康に害を及ぼす恐れのある新技術や新手法は，安全性が完全に証明されるまで導入を控えるべき，という考え方もあります。これも簡単に判断できて問題なさそうに思えますが，本来は新技術によって得られるメリットと，引き起こされるリスクを天秤にかける必要があります（これがまさにトレードオフにおける判断です）。新薬が多くの人を救うことがわかっている場合，軽い副作用であればリスクを見込んだ上で使用する選択もあってよいかもしれません。

さらに安易な決定方法として「二分割思考」と呼ばれるものがあります。これは，物事を善か悪か，敵か味方か，のような2つの枠にあてはめてしまうものです。例えば，ある人が一度自分に対して不利益となるような行動をした場合，その人を敵とみなしてそれ以降は信用しない，というような考え方です。これが間違っていることは明らかだと思いますが，実はこのような考え方は多く見られます。以下のような例です。

- ○○社の自動車を以前運転したら乗り心地が悪かった。買うなら××社の自動車にしよう。
- □□首相の政策は以前うまくいった。今後も□□首相に任せておけば大丈夫だろう。

限られた経験や情報で判断を下し，それ以降見直すことをせずにかたくなな姿勢を続けるのは，“食わず嫌い”や“盲信”と変わりありません。

日常でも仮説を使ってより良い判断を

以上のような間違えやすい判断方法を避けることができるのが，仮説を用いた考え方です（☞第１章）。「仮説」として考えることで，前提となる状況を把握し，それに応じた選択肢を多く考えることができます。そしてそれぞれの選択肢を明確な基準でふるいわけたり比較したりすることで，最終的に１つの選択肢に絞り込みます。二分割思考などの方法よりややこしいようですが，状況に応じた判断が可能であることが重要です。トレードオフのような判断が難しい場面でも筋道立てて考えることができ，より良い判断が可能となるのです。

第Ⅲ部まとめ
A君，アルバイトに何を求める？

A君は夜道を１人で帰宅中だった。４月とはいえ風は冷たく，寒さが身にしみる。襟元をかき合わせて足を早めた。昨日の出来事を思い出すと，身ばかりか心まで冷え切ってしまう。意を決してアルバイトの後輩のＳさんに想いを打ち明けたのだが，あえなく振られてしまったのだ。１年前，新しく店に入ったＳさんが緊張まじりで挨拶してくれた様子をつい思い出し，胸が締め付けられる。

しかも，追い討ちをかけるように「内緒にしてたのですが，店長と付き合ってるんです」とはにかみながら言われてしまった。もう同じ牛丼屋でアルバイトを続けるのはつらすぎる。

食欲もないことだし夕食は軽くすませようと近所の喫茶店に入る。馴染みのマスターにオムライスを頼み，置いてあったアルバイト情報誌を手にとり席についた。

次に働く店を探さないといけない。早くしないと条件のいいところは新入生で埋まってしまうだろう。どうしたものか。

まず目につくのはやはり牛丼チェーン。これまでの経験をいかして同じチェーンの別の店にするべきか。それとも別の牛丼チェーンにしてみるのも悪くない。パラパラめくると他にもハンバーガー，うどん，イタリア料理，ラーメン，などさまざまな飲食店がア

ルバイトを募集している。

迷いつつ改めて情報誌を見ると，業種別に分類されている。せっかくなので飲食店以外も見てみよう。販売業，レジャー，物流……。あれ，でもこれってこのあいだ習った第三次産業ばかりのようだ。じゃあ第一次産業，第二次産業ではどうだろうか。農業の手伝いとか，健康になりそうだ。ものづくりも技術が身についていいかもしれない。

さらに発想を変えてみよう。自分ならでは，というものはないか。労働力以外に何か技術や知識を生かしたもの……。そうか，家庭教師や得意のコンピュータ関係もいいかもしれない。あるいはお金より趣味や実益を兼ねたものとしてサッカーのコーチなどもあるだろうか。

考えているとマスターが皿を置きながら言う。「お待たせ。A君，アルバイト探しているの。うちはどう？　時給は安いけど賄い出すよ」。また選択肢が増えた。

届いたオムライスを食べながらさらに考える。候補はいくらでもあるので条件を決めて絞っていこう。まず大事なのは大学の講義とかぶらないこと，だ。そうすると移動時間と勤務時間で絞るべきか。農業やものづくりは近くにないし，昼間の勤務が多そうだからやはり無理か。そういえば3年生になってゼミの授業も入ってくるから帰りが遅くなるかもしれない。それを考えると，移動時間は短めにしておこう。電車移動はなし，と。だいぶ絞られた。

あとはファミレスと居酒屋とこの喫茶店くらいか。ファミレスは時給は高いけど賄いが出ない。居酒屋は賄いは出るけど仕事がきつそうだ。この喫茶店はいつも客が少ないし楽そうだけど時給が安い。なかなか決め手に欠ける。あちらを立てればこちらが立たず，これがこの間講義で言っていたトレードオフか。意外と役に立つな。

では，早速選ぶ要因をリストアップして，それぞれ重み付けして総合評価を出してみよう。要因としては場所などを考えて，やはり時給を重視して……できた。ファミレスは157点，居酒屋163点，そしてここは155点，か。なるほど。

居酒屋も結構時給がいい上に賄いも出るから，仕事がきついことを考えても選択するべきということか。よし，決まった。

さっぱりしてレジに行くと見慣れない女の子がいる。「マスターの姪なんですけど，近くの大学に入学したので時々手伝いに来ることになったんです。よろしくお願いします！」ハキハキ喋り，ペコリとお辞儀をすると束ねた髪が弾む。

「マスター，僕ここでバイトします！」

――１年後――

マスター「ついにＡ君に告白されたって？」

姪「悪い人じゃないんですけど，いろいろ考えているように見えても結局勢いだけで決めてて軽薄なんですよね。」

Ａ君「次のバイト，次のバイト……」

終　章

“科学的思考”のココロ

終－1　仮説を立てて考えよう
終－2　自分の意見に根拠を持とう
終－3　いろんな見方をしよう
終－4　科学的思考を楽しもう！

これでバッチリ!?

これで科学的思考が身に付いたっちゃー
わーい
わーい
おつかれさま

これでバッチリだっちゃー
ピロピロ
ん？
「科学的思考」で考える

ご当選
おめでとうございます
あなたは3億円当選
しました。以下の....

やったっちゃー!!
もう一回
勉強しさいん

終－1　仮説を立てて考えよう

この本を手に取るまで，「科学的って難しそう」「理系のための本だろうな」「科学的思考なんて思考法は聞いたこともないよ」「自分には関わりのない本だよ」と，思っていた人も多いかもしれません。実際に読んでみて，どのような感想を持ちましたか？「科学的思考って，意外と身近なことに使えるんだ」と思いませんでしたか？　それこそが，まさにこの本の狙いでした。

この章では，全体を振り返りつつ，皆さんへのメッセージとして3つの「科学的思考のココロ」をお伝えしたいと思います。

第Ⅰ部の「まなぶ」では，**仮説を練り上げていく方法**について説明しました。間違いを減らすため筋道を立てて考える科学的思考では，観察・仮説・検証のループを回すことが重要であるということ（第1章），仮説を立てる際に推論が大切な役割を果たすこと（第2章），仮説は立てたら確かめなければならないこと（第3章）を学びました。このループを回すことが身につくと，日常生活の多くの場面で，科学的思考を役立てることができるでしょう。

第Ⅱ部の「みがく」では，**科学的思考に役に立つ道具“4つのセンス”**を紹介しました。誤解を避ける言葉の選び方や論理的な言い換えができるセンス（第4章），数字を用いて比較できるセンス（第5章），グラフを使うことで数や量を正しいイメージでとらえ，伝えるセンス（第6章），相関と因果の違いをふまえて物事の関係性をとらえるセンス（第7章）です。これらのセンスが磨かれたとしたら，論理的にものごとをとらえたり伝えたりする力も増しているはずです。あなたが立てた仮説の「もっともらしさ」を伝えるときには，その説得力が増すことでしょう。

第Ⅲ部の「つかう」では，**意思決定の方法**について解説しました。意思決定における2つの仮説の役割（第8章），たくさんの仮説を立て，広げていくためのコツや技術（第9章），比較やふるいにかけることで仮説を絞り，根拠のある意思決定につなげる方法（第10章）を学びました。自分に問いかけること

で仮説を増やし，そこから適切な評価に基づいて仮説をしぼり込むことでよりよい意思決定につなげる，これが科学的思考による意思決定です。これがマスターできれば，重大な決定を下さなくてはならない場面でも，冷静に自信を持って対応できるようになるでしょう。

簡単に振り返りましたが，科学的思考では「仮説」が中心的な役割を担っているということを改めて理解していただけたでしょうか。ここで，みなさんにお伝えしたい１つめのメッセージです。それは**仮説を立てて考えよう**です。本書にはたびたび「仮説」という言葉がでてきました。仮説を立てて考える習慣が身につくと，筋道を立ててものごとを考えることができるようになります。今日からは，自分の意見も「仮説」，相手の意見も「仮説」ととらえながら，ぜひとも実践を積んでいってください。

終－２　自分の意見に根拠を持とう

日々私たちが直面するさまざまな問題に対して，ただ黙って待っていても答えは降ってきません。助け舟やヒントとなる情報は周囲に転がっているかもしれませんが，最終的に決断するのは自分自身です。第Ⅲ部で多様な仮説を立て絞り込むことで，よりよい判断や意思決定ができることを学びました。仮説の絞り込みが根拠に基づくものであれば，わたしたちはその意思決定に自信をもつことができます。

そこで，みなさんへお伝えしたい２つめのメッセージです。それは**自分の意見に根拠を持とう**です。これは自分の意思決定や意見に自信を持つ上でとても大切ですが，他者とのコミュニケーションにおいても大切

な役割を果たします。自分が送り手として伝えようとする考えや意見に「根拠」がなければ，なかなか相手には納得してもらえません。自分が受け手側にまわった時も同様に「根拠」を大切にする必要があります。相手の主張の根拠を確認し忘れると，相手の意見を正確に判断できず，思いがけない失敗をしてしまうかもしれません。

もし互いの意見に違いがあるのであれば，何がどう違うのか，その根拠も含めて対話しましょう。根拠をはっきりさせることで，より深く，より誤解なく相互理解ができるようになります。

終－3　いろんな見方をしよう

私たちは，ささいなものから重要なものまで，常に「意思決定」を繰り返して日常生活を送っています。直面している事柄が同じであっても，意思決定が常に同じとは限りません。その時の状況やおかれている立場が変われば，当然意思決定も変わってきます。「なんとなく」は避けなくてはなりませんが，1つの見方に凝り固まったままで意思決定することも好ましいことではありません。おかれている状況をさまざまな見方でとらえ，複数の仮説を立て，その中から「もっともらしい仮説」に絞り込むことで，より適した意思決定ができるようになります。特にその意思決定が重要なものであればあるほど，物事を可能なかぎり多くの見方でとらえ，多様な仮説を立てることの必要性が増していきます。そこで，みなさんへお伝えしたい3つめのメッセージです。それは**いろんな見方をしよう**です。これは自分自身の判断や意思決定に限ったものではありません。多様な見方ができる，というのは他者とのコミュニケーションにおいても重要です。コミュニケーションで大切なのは相手を理解すること，理解しようとすることです。私たちは通常，相手の声や身振り手振り，表情，書いたものなど

を通し，そこから得た情報に基づいて，相手の意図や考えを推し量っています。自分も相手もいろんな見方ができれば，多くの仮説を立ててお互いを推し量ることができ，誤解が少なく，より円滑なコミュニケーションができるようになるはずです。

終－4　科学的思考を楽しもう！

ここまで読み終えたみなさんは，「科学的思考」が身について，「なんとなく」を避け，筋道を立てて考える習慣がつきましたね。このおかげで，意見や主張を聞くときも安易に流されたり，簡単にだまされることがなくなってきているはずです。また，何かしらの問題に直面しても，適切な意思決定を心がけるようになっていることでしょう。

この思考をさらに使いこなすためには，実践が不可欠です。日常生活の中で意識して科学的思考を使い，どんどん磨きをかけ，自分のものにしてください。そして，自分で育てた自分の中の「思考」を使いこなし，これからみなさんに訪れる大小さまざまな人生の選択を，心から納得のいくものにしてもらえたら，大変うれしく思います。

参考文献

本書を執筆する際に参考とした文献やデータの一覧です。元データを参照したい時や，さらに理解を深めたい時にご活用ください。

全般的に参考にしたもの

NHK Eテレ番組「考えるカラス」

仲島ひとみ『大人のための学習マンガ　それゆけ！　論理さん』ちくま書房，2018年

福澤一吉『論理的に読む技術――文章の中身を理解する“読解力”強化の必須スキル！』ソフトバンククリエイティブ，2012年

山田ズーニー『あなたの話はなぜ「通じない」のか』筑摩書房，2006年

シーサラー，シェリー『「悪意の情報」を見破る方法――ニセ科学，デタラメな統計結果，間違った学説に振り回されないためのリテラシー講座』今西康子訳，飛鳥新社，2012年

デイヴィッド・マクレイニー『思考のトラップ――脳があなたをダマす48のやり方』安原和見訳，二見書房，2014年

安宅和人『イシューからはじめよ――知的生産の「シンプルな本質」』英治出版，2010年

中山健夫『京大医学部で教える合理的思考』日本経済新聞出版，2015年

戸田山和久『「科学的思考」のレッスン――学校で教えてくれないサイエンス』NHK出版，2011年

序　章

北岡明佳『錯視入門』朝倉書店，2010年

ベアー，マーク・F／パラディーソ，マイケル・A／コノーズ，バリー・W『神経科学――脳の探求』加藤宏司・後藤薫・藤井聡・山崎義彦監訳，西

村書店，2007年
Delcomyn, Fred, *Foundation of Neurobiology*, W H Freeman＆Co, 1997
文部科学省「マナビィくんの統計コーナー」（2005年）https://warp.ndl.go.jp/info:ndljp/pid/286794/www.mext.go.jp/b_menu/toukei/manabee/index.htm（最終閲覧日：2021/10/13）
大阪維新の会「タウンミーティングパネル」https://oneosaka.jp/pdf/panel/B-3_shi_A-4_fu.pdf（最終閲覧日：2021/10/13）

第１章

中村士・岡村定矩『宇宙観5000年史――人類は宇宙をどうみてきたか』東京大学出版会，2011年
BBC news Astronomer Tycho Brahe ‘not poisoned’, says expert 2012 https://www.bbc.com/news/science-environment-20344201（最終閲覧日：2021/10/13）

第２章

羽田康祐 k_bird『問題解決力を高める「推論」の技術――ビジネスの未来を読み解くための３つのシンプル思考』フォレスト出版，2020年
医薬基盤・健康・栄養研究所「「健康食品」の安全性・有効性情報」https://hfnet.nibiohn.go.jp/（最終閲覧日：2021/10/13）

第３章

グリム兄弟『オオカミと七ひきの子ヤギ』矢崎源九郎訳，偕成社，1980年
松田幸弘（編著）『心理学概論――ヒューマン・サイエンスへの招待』ナカニシヤ出版，2018年
中島義明・箱田裕司・繁桝算男（編）『新・心理学の基礎知識』有斐閣，2005年
松谷みよ子『ふくろうのそめものや』童心社，1991年

第４章

「Dihydrogen Monoxide Research Division」http://www.dhmo.org/（最終閲覧日：2021/10/13）

石渡嶺司・大沢仁『就活のバカヤロー――企業・大学・学生が演じる茶番劇』光文社，2008年

国民生活センター「サイクロン方式の掃除機商品テスト結果」（2006年）https://warp.da.ndl.go.jp/info:ndljp/pid/9929862/www.kokusen.go.jp/pdf/n-20060406_1g.pdf（最終閲覧日：2021/10/13）

巌佐庸・倉谷滋・斎藤成也・塚谷裕一（編）『岩波　生物学辞典』岩波書店，2013年

小石川植物園「ニュートンのリンゴ」https://www.bg.s.u-tokyo.ac.jp/koishikawa/ennai/apple.html（最終閲覧日：2021/10/13）

第７章

厚生労働省「統計情報・白書　身長と体重」https://www.mhlw.go.jp/toukei/youran/indexyk_2_1.html（最終閲覧日：2021/10/13）

独立行政法人統計センター「統計で見る日本　年齢と平均睡眠時間」https://www.e-stat.go.jp/stat-search/files?page=1&layout=datalist&toukei=00200533&tstat=000001095335&cycle=0&tclass1=000001095377&tclass2=000001095393&tclass3=000001095394&stat_infid=000031617844&tclass4val=0（最終閲覧日：2021/10/13）

厚生労働省「統計情報・白書　平均寿命」https://www.mhlw.go.jp/toukei/saikin/hw/life/tdfk00/7.html（最終閲覧日：2021/10/13）

林野庁「統計情報　都道府県別森林率・人工林率」https://www.rinya.maff.go.jp/j/keikaku/genkyou/index2.html（最終閲覧日：2021/10/13）

久保哲朗「都道府県別統計とランキングで見る県民性（コンビニ店舗数）」https://todo-ran.com/t/kiji/10328（最終閲覧日：2021/10/13）

第８章・第９章

竹内薫『知的生産のための科学的仮説思考』日本能率協会マネジメントセンター，2013年
ちきりん『マーケット感覚を身につけよう――「これから何が売れるのか？」わかる人になる５つの方法』ダイヤモンド社，2015年
内田和成『仮説思考――BCG 流　問題発見・解決の発想法』東洋経済新報社，2006年

おわりに

本書は，東北学院大学で「TG ベーシック」（TG は Tohoku Gakuin の頭文字）と呼んでいる教養教育科目のひとつ「科学的思考の基礎」を進める中で，「講義のための教科書を作ろう！」という企画から産声を上げました。

「TG ベーシック」は，東北学院大学において「豊かな人間力」を育てることを目的として設定された科目群の名称で，「知力」を柱に「共生力」，「コミュニケーション力」，「表現力」，「創造力」，「自己実現力」を身につけることを目指し，文系・理系を問わず全学 1，2 年生向けに開講されています。本書を手にとり読んでくださった読者の皆さんにはお分かりいただけるかと思いますが，「科学的思考」は TG ベーシックを通して修得を目指すこれらの「力」を広くカバーし，使いこなすうえで必須の思考法です。

複雑化している現代社会でよりよく生きるためには，何が問題なのかを見抜き，それを解決するにはどうしたらよいかをきちんと考える能力が必要です。仮説を中心とした「科学的思考」は，まさにその能力を向上させる思考法で，今後の社会で求められる人間力の基礎になると考えられます。実際，このような思考法を小学校や中学校からとりいれているところも出始めました。この本は，これからの時代に求められ，社会で活躍できる人になるための一助となるはずです。その思いから，本書は，単に大学の講義で使用するだけでなく，中学生，高校生，社会人の方々にも読んでいただける内容になるよう心がけました。

わたしたち著者 4 名は分野こそ異なるものの，いわゆる「理系」の教育を受け，それぞれの分野での専門的な研究に携わっています。同時に，わたしたちは東北学院大学教養学部の教員であり，文理問わずいろいろな学部の 1，2 年生と接する機会を数多くもっています。文系の学生さんで「理系科目はちょっと苦手だな」と思っている人は少なくありません。「科学的思考の基礎」はぱっと見「理系」に分類されそうな講義タイトルです。しかし，この科目の授業設計を託されたわたしたちは「科学的に考えることは文理に関係なく大切なことである」という信念（前提の仮説）のもと，いわゆる「文系」の学生たちにも敬遠されることなく，知的に楽しく受講できる講義にしようと，何度も議論を重ねました。「このようにすれば，よりわかりやすい講義になるだろう」と，まさに“仮説”（決断の仮説）に基づいた授業資料を作成し，終了する毎に，担当教員で集まって“仮説”としての授業資料が本当に分かりやすかったのか，学生さんのコメントペーパーをもとに“検証”し，こうすればもっとよくなるはずだ，とさらなる“仮説”を立て，授業資料を修正し……と，講義「科学的思考の基礎」そのものが「科学的思考」のプロセスを繰り返すことでブラッシュアップされ，現在に至っています。2014年4月に開講されて以来，半期ごとの“仮説”と“検証”を繰り返すことで，その「もっともらしさ」はかなり高まってきています。

本書は，基本的にこの授業構成に沿ったものです。執筆中，著者4名のあいだで，大学生はもとより中高生や社会人の方々にも読んでもらうには，と講義に対するのと同じ熱量をもって議論を繰り返しました。そこにはもちろん，これまで講義を受講してくれた学生さんたちの熱もたっぷり含まれています。

本書の執筆にあたってたくさんの方々のご協力をいただきました。まずは，TG ベーシック「科学的思考の基礎」をこれまで受講してくれた東北学院大学学生の皆さん。皆さんの受講がなければ，この本は成立しませんでした，深く感謝いたします。さらに，「科学的思考の基礎」の科目担当者として，共にこの講義に取り組んできた，平吹喜彦，柳澤英明，松尾行雄，佐藤篤，永弘進一郎，梅津実，仲内大翼，の先生方，厚くお礼申し上げます。また，ここにあらためてお名前は記しませんが，執筆中に様々な形でご助力，ご助言いただいたすべての方々に感謝いたします。

もうお一人，絶対に忘れてはいけない方，本書のイラストと漫画の作画を快くお引き受けいただいたjugoさんに心より感謝申し上げます。jugoさんは宮城県生まれ，エントワデザイン株式会社のイラストレーターで，宮城のご当地キャラクター「仙台弁こけし®」の作者です。様々な読者層に少しでも楽しく，という気持ちと宮城県にある東北学院大学で使う教科書ということで，本書のイラストや漫画はぜひこけしちゃんに，というのは最初の企画会議から著者らの強い要望でした。こけしちゃんから OK が出たと聞いた時には本当にびっくりでしたし，jugo さんとコラボできたことはわたしたちにとって大きな喜びです。

最後に，2020年から2021年という大変特殊な時期に，編集をしていただいたミネルヴァ書房の宮川友里さん，水野安奈さんに心からのお礼を申し上げます。

2021年 9 月

牧野悌也・菅原研・土原和子・村上弘志

索　引

数字・欧文

1回きり　201
4分表　104, 112
4枚カード問題　69, 94
DHMO　82
Evidence（証拠・データ・情報）　206
Resources（人・物・金・時間などの資源）　206
SNSの書き込み　114
Values（価値観・文化・傾向）　206

あ　行

挨拶（の例）　19, 32, 92, 173
アインシュタイン，アルベルト　29
値の比較　122, 124
値の変化　122, 124
アブダクション　51
アルバイト　182
安心　84
安全　84
言い換え　87, 91, 93
意見　9
意思決定　164, 169, 183, 201
　──と仮説　165
　──の〝結果〟　170
　──の〝プロセス〟　170
　──問題　196
イベントのアンケート　111
イメージ　80, 119
いろんな見方をしよう　223
因果　144
　──関係　146, 147
ヴェーゲナー，アルフレート　24
裏　87, 89
「オオカミと七匹の子ヤギ」　61, 94, 173
重みづけ　208, 211

か　行

階層（的な）構造　186, 188
回答者　125
科学　10, 212
　──的　9, 11, 201, 212
　　──思考　9, 11, 12, 70
学術用語　83
仮説（を用いた考え方）　11, 19, 22, 30
　──を捨てる　27
　──を立てて考えよう　222
　──を作る　182
　意思決定と──　165
　決断の──　166, 169, 174, 183, 188, 193
　前提の──　168, 169, 174, 183, 184, 191
カタカナ語　84
偏った情報　112
価値　115
　──観　211
　　──や好み　205
カブトガニ　6
カラスは黒い　57, 67, 94
関係性　140
観察　22, 30
基準となる全体（母数）　126, 127
期待値　203
気づき　23, 181, 189
帰納的推論　38, 48, 195
基本三角形　190
逆　87, 89
共通要因　147
グラフ　119
　──のイメージ　120
　──を読むコツ／見抜くコツ　128
決断　164, 166, 209
　──の仮説　166, 169, 174, 183, 188, 193
結論　37
ケプラー，ヨハネス　28
原因と結果　144
現実世界での選択　213
検証　25, 27, 29, 31, 55
験を担ぐ　155
合格者と不合格者数　106
合格率　108

考察　28
高齢化率　110
高齢者数　110
言葉　79
　──の役割　80
コペルニクス，ニコラウス　28
根拠　9

さ 行

最大多数の最大幸福　213
作為的　121
（明るさの）錯視　4
三段論法　42
散布図　132
事実　9
実験　29
自分の意見に根拠を持とう　222
じゃないほう　66, 107
就職率　110
主張　9
状況　205
証拠　56, 59, 64
常識　5
白いカラス　58
進化　6
水素水　83
水難事故　147
推理　20
（日常の）推論　37, 44, 45
数字（の並び）　21, 26, 59, 99, 171
数値化　100
清涼飲料の消費量　147
セール　109
全体　110
前提　37
　──の仮説　168, 169, 174, 183, 184, 191
　──の抜け　46
専門家　152
相関　140, 143, 146
　──がない　142
　──から因果関係を意図的に推測する／作り出す　153
　──と因果を（の）混同　151
　因果が逆転した──　149
　正の──　141
　負の──　141
　疑似──　147
総合評価　209

た 行

ダイエット　102
対偶　88, 89, 93
対照実験　113
大陸移動説　24, 28
確かめる　56, 57
正しい　69
「正しい」とは言わない　60
縦軸の設定　123
探索的な問い　195
知恵　7, 31, 55
地動説　28, 29
調査　29
直感　5
つながりの強さ　39
ツリー構造　184, 186
ツリーの基本三角形　190
出会い　187
データの組み合わせ　133
データや根拠　39
データや情報　204
テキスト　119
点数化　208
天動説　24, 28
問い　189
　「これって具体例は何？」という──　191
　「これってつまり何？」という──　191
　「これって何？」という──　191
　「なぜ？」という──　193
　「他には？」という──　192
湯治　105
投票率　109
得票率　109
トレードオフ　207

な 行

なんとなく　8
日常生活は意思決定の連続　176
二分割思考　214
ニュースや記事　155
ニュートン，アイザック　28
捏造　62

は　行

バイアス　148
麦粒腫　83
反証　56, 59, 64
比較　100
　——の基準　129
　値の——　122, 124
　比率の——　129
表　119
比率　107
振り込め詐欺　63
分布データ　131
平均　131
　——年収　130
　——年齢　130
変化　144, 146
　年商の——　119
　値の——　122, 124
ポイント還元　115
母数（全体の数）　125

ま　行

マイナスイオン　83
ミドリムシ　83
無回答者　126
無人島のイメージ　167
無人島問題　163, 206
〝無料くじ〟の問題　202
めばちこ　83
もしかして？　19
もっともらしさ　11, 39, 69, 172
ものもらい　83

や　行

ユーグレナ　83
要因（判断のための）　202, 206
　１つの——　204
　３つめの——　205
　もう１つの——　205
予測　20, 26, 57
予備校　105, 108
予防原則　214

ら・わ　行

利害　84
理由　9
ループ　30
論理　9
割合　107, 122, 124
割引　115

《著者紹介》

牧野悌也（まきの・よしなり）

1967年富山県生まれ。1993年東京大学大学院薬学系研究科博士課程退学。博士（工学）。東北大学電気通信研究所を経て，2023年３月まで東北学院大学教養学部情報科学科教授。2023年４月より東北学院大学情報学部データサイエンス学科教授。陸産軟体動物からヒトまで，生き物の情報処理の基本構造をテーマとして研究をおこなっている。

菅原研（すがわら・けん）

1969年宮城県生まれ。1997年東北大学大学院情報科学研究科博士課程修了。博士（情報科学）。日本学術振興会特別研究員，電気通信大学を経て，2023年３月まで東北学院大学教養学部情報科学科教授。2023年４月より東北学院大学情報学部データサイエンス学科教授。単純なロボットが協調により高度な機能を発現する「群知能ロボットシステム」に関する研究を主におこなっている。

土原和子（つちはら・かずこ）

1969年兵庫県生まれ。2000年大阪大学大学院理学研究科博士課程修了。博士（理学）。科学技術特別研究員，金沢工業大学他を経て，2023年３月まで東北学院大学教養学部情報科学科准教授。2023年４月より東北学院大学情報学部データサイエンス学科准教授。昆虫を用いて遺伝子から行動まで感覚受容を切り口に研究をおこなっている。アウトリーチ活動として2019年に「むしたちのおとのせかい」（福音館書店）を執筆。

村上弘志（むらかみ・ひろし）

1975年岩手県生まれ。2002年京都大学大学院理学研究科博士課程修了。博士（理学）。JAXA，立教大学を経て，2023年３月まで東北学院大学教養学部情報科学科准教授。2023年４月より東北学院大学情報学部データサイエンス学科教授。CCD 検出器の開発や，X 線天文衛星を用いた高エネルギー天体に関する研究を主におこなっている。

科学的思考のススメ
──「もしかして」からはじめよう──

2021年12月10日　初版第１刷発行　　〈検印省略〉
2023年12月10日　初版第４刷発行

定価はカバーに
表示しています

著　者　牧野悌也
　　　　菅原　研
　　　　土原和子
　　　　村上弘志

発行者　杉田啓三

印刷者　坂本喜杏

発行所　株式会社　ミネルヴァ書房
607-8494　京都市山科区日ノ岡堤谷町１
電話代表　(075)581-5191
振替口座　01020-0-8076

冨山房インターナショナル・新生製本

ISBN 978-4-623-09028-0
Printed in Japan